中华人民共和国法律释义丛书
全国人民代表大会常务委员会法制工作委员会　编

中华人民共和国各级人民代表大会常务委员会监督法释义

主编：李　飞（全国人大常委会法制工作委员会副主任）
陈斯喜（全国人大常委会法制工作委员会国家法室主任）
撰写人员：（按姓氏笔画为序）
许安标　张桂龙　陈斯喜
李　菊　武　增

法律出版社

图书在版编目(CIP)数据

中华人民共和国各级人民代表大会常务委员会监督法释义/全国人大常委会法制工作委员会编. -- 北京：法律出版社，2008.4(2018.11 重印)

(中华人民共和国法律释义丛书)

ISBN 978-7-5036-8273-5

Ⅰ. ①中… Ⅱ. ①全… Ⅲ. ①人民代表大会常务委员会－监督法－法律解释－中国 Ⅳ. ①D921.115

中国版本图书馆 CIP 数据核字(2008)第 028822 号

中华人民共和国各级人民代表大会常务委员会监督法释义
ZHONGHUA RENMIN GONGHEGUO GEJI RENMIN DAIBIAO DAHUI CHANGWU WEIYUANHUI JIANDUFA SHIYI

全国人大常委会法制工作委员会 编

责任编辑 麦 锐
装帧设计 李 瞻

出版 法律出版社
编辑统筹 法规出版分社
总发行 中国法律图书有限公司
开本 850 毫米×1168 毫米 1/32
经销 新华书店
印张 8.125
印刷 北京玺诚印务有限公司
字数 154 千
责任印制 吕亚莉
版本 2008 年 4 月第 1 版
印次 2018 年 11 月第 3 次印刷

法律出版社/北京市丰台区莲花池西里 7 号(100073)
网址/www.lawpress.com.cn
投稿邮箱/info@lawpress.com.cn
销售热线/010-83938336
举报维权邮箱/jbwq@lawpress.com.cn
咨询电话/010-63939796

中国法律图书有限公司/北京市丰台区莲花池西里 7 号(100073)
全国各地中法图分、子公司销售电话：
统一销售客服/400-660-6393
第一法律书店/010-83938334/8335　西安分公司/029-85330678　重庆分公司/023-67453036
上海分公司/021-62071639/1636　深圳分公司/0755-83072995

书号：ISBN 978-7-5036-8273-5　**定价**：36.00 元

总　序

人类文明的历史上，还没有哪一个时代像中国的改革开放40年一样，在历史长河中掀起如此巨大的浪花——它不仅深刻改变了一个国家的面貌与精神气质、使数亿人摆脱贫困，还极大地改变了世界格局。

1978，在那一年的年底，中共中央一次全体会议——十一届三中全会扭转了中国的前进方向，开辟了一个时代。回首过去，我们发现，一些观念从那时开始在中国出现，一些声音从那时开始逐渐响起，一些人物开始登上历史舞台。从这一年开始，随着"加强社会主义民主，健全社会主义法制"历史性任务的提出，"法制"两个字进入了人们的视野；政法机关开始恢复重建；法律院系开始蓬勃发展。一部部法律从庙堂走进了人们的生活，一次次裁决推动着国家前进的脚步。从"有法可依、有法必依、执法必严、违法必究"到"科学立法、严格执法、公正司法、全民守法"；从"法制"到"法治"；从法治观念的形成到"依法治国，建设社会主义法治国家"写进宪法，再到"法治国家、法治政府、法治社会一体建设"，人们对法治的认识步步深入，中国的改革不断向前推进，结出丰硕的果实。在中国共产党的带领下，这个励精图治的古老国度，再一次创造了改革的奇迹。

40年发生了无数故事,40年产生了许多事物。为了纪念这难忘的40年,本社组织编辑出版了一批“纪念改革开放40周年”主题图书。这些图书,将40年来颁布的重要法律及其释义甄选汇集,将法学领域有代表性的学术论文萃取精编,把有关政法机关的重建、法律院系的重生与发展进行展现,将一批被时代改变命运的人物再次唤起。我们希望从法律与法律人的视角,重新审视过去的40年,认真体会这不平凡的40年。

如江河东下,逝者如斯。岁月总会过去,人事总有代谢,但一个不平凡的时代留下的深刻痕迹,永远不会磨灭。“不忘初心,牢记使命”,习近平总书记在党的十九大报告中向全党发出的号召,使我们有理由期待,下一个40年,中国将更加惊艳!

法律出版社编辑委员会

2018年10月

出版前言

《中华人民共和国法律释义丛书》是由全国人大常委会法制工作委员会组织编辑的一套系列丛书。

该套丛书由一系列法律释义组成。邀请有关专家、学者和部分参与立法的同志编著。该丛书坚持以准确地反映立法宗旨和法律条款内容为最基本要求,在每部法律释义中努力做到观点的权威性和内容解释的准确性。

我们相信,该套丛书的陆续出版,将会给广大读者进一步学好法律提供有益的帮助。

重 印 说 明

本次重印,是为改革开放40周年制作的特别纪念版,为了保持内容原貌,未对正文和附录作实质修改。个别法条内容有修订或修正的,以脚注形式作了标注。特此说明。

2018年10月

前　言

2006年8月27日，十届全国人大常委会第二十三次会议审议通过了《中华人民共和国各级人民代表大会常务委员会监督法》，于2007年1月1日起施行。根据宪法和有关法律的规定，监督法对人大常委会行使监督职权作出规范化、程序化的规定。监督法是一部充分体现中国特色监督制度的重要法律，它的颁布实施，对于发展社会主义民主政治，完善人民代表大会制度，保证人大常委会依法加强监督工作，促进依法行政、公正司法，维护改革发展稳定的大好局面和最广大人民的根本利益，具有重要意义。

为了深入宣传、学习和正确理解贯彻监督法，我们组织编写了这本《监督法释义》。参加本书编写的都是直接参加监督法立法调研、起草、修改工作的全国人大常委会法制工作委员会国家法室和法规备案审查室的同志。他们是国家法室主任陈斯喜（第一章、第六章）、副主任许安标（第二章、第八章）、处长武增（第四章、第九章）、副处长李菊（第七章）和法规备案审查室处长张桂龙（第三章、第五章）。陈斯喜同志统改了全书，最后由法制工作委员会副主任李飞同志审定。

在写作过程中，我们力求准确阐述立法原意，指出实施中应当注意的主要问题，但监督法是一部政治性很强的法律，内容丰富，寓意深刻，由于我们水平有限，释义难免有不妥之处，敬请读者批评指正。

编　者

2007 年 12 月

目　　录

第一部分　释　　义

第二部分 附 录

第一部分　释　　义

第一章　总　　则

一部法律通常包括总则、主文（或分则）、附则三部分。总则，是有关一部法律的总括性规定。总则的功能，是概括地表述贯穿于该法律始终的立法思想、价值取向、基本原则等一般性、原则性、抽象性的内容，因此，它对理解主文（或分则）条文具有指导性作用。对主文（或分则）条文含义的理解，必须符合总则的规定，偏离总则规定的立法思想、价值取向、基本原则等来理解主文（或分则）条款的含义，就会偏离立法原意。

本章共 7 条，规定了本法的立法目的、立法依据、适用范围和人大常委会行使监督权所必须遵循的基本原则。

第一条　为保障全国人民代表大会常务委员会和县级以上地方各级人民代表大会常务委员会依法行使监督职权，发展社会主义民主，推进依法治国，根据宪法，制定本法。

【释义】　本条是关于立法目的和立法依据的规定。

（一）关于人大监督的特点和优势

2004年9月15日，胡锦涛总书记《在首都各界纪念全国人民代表大会成立50周年大会上的讲话》中深刻指出："权力不受制约和监督，必然导致滥用和腐败。加强对权力的制约和监督，是社会主义民主政治建设的重要任务。"为了加强对权力的监督，保证人民当家作主，经过多年努力，我国已经建立起全方位、多层次的中国特色权力监督体系。这个监督体系包括党内监督、人大监督、行政监督、司法监督、政协和民主党派民主监督、群众监督、舆论监督等。这个监督体系是全方位、多层次的，实践证明是符合我国的国情和实际、行之有效的。在这个监督体系中，人大监督作为国家权力机关的监督，是直接代表人民所进行的监督，是最高层次、具有法律效力的监督。

人大监督作为国家权力机关的监督，有三个最显著的特点：一是它的民主性。人大是由人民选举产生、对人民负责、受人民监督、代表人民行使国家权力的。人大工作实行合议制，按照民主集中制原则，充分发扬民主，集思广益，集体讨论问题，集体决定问题。因此，人大监督最有利于直接反映人民的呼声和要求，集中人民的意愿和主张，维护人民的权利和利益。二是它的全局性。人大监督是从制度上解决全局性问题的，只管重大问题、不管具体事务，只决定、不执行，这样一个体制最有利于人大站在全局的高度，紧紧围绕党和国家工作大局，抓住关系改革发展稳定大局和群众切身利益、社会普遍关注的重大问题开展监督。三是它的权威性。人大作为国家权力机关，它的监督是代表人民、以国家的名义所进行的监督，因此，它是最高层次的监督，是具有法律效力的监督，因而具有很大的权威性。这些特点决定，人大监督的优势性在于它能把坚持党的领导、人民当家作主和依法治国有机统一起来。党的领导是人民当家作主和依法治国的政治保证，人民当家作主是社会主义民主政治的本质要求，依法治国是党领导人民治理国家的基本方略，而人民代表大会制度则是实现三者有机统一起来的制度载体。

只有从国家根本制度上，准确把握人大监督在整个国家监督体系中的地位，充分体现自身的特点，切实发挥自身的优势，人大监督才能发挥应有的作用，才能不断增强监督实效；同时，“一府两院”也才能更加自觉地接受监督，不断提高依法行政、公正司法的水平。

（二）关于立法过程

监督法的制定工作前后历时 20 年，大致分为三个阶段：

第一阶段：酝酿研究阶段（1986 年－1990 年）

早在 1985 年召开的六届全国人大三次会议和六届全国人大常委会第十次会议期间，许多代表和委员就对全国人大常委会的监督工作提出了意见和建议。自 1987 年六届全国人大五次会议到 2006 年十届全国人大四次会议，历次全国人大会议都有人大代表提出关于制定监督法的议案，共计 222 件，参与联名代表共计 4044 人次。同时，许多地方人大常委会的同志也不断提出意见和建议，要求总结人大监督实践经验，制定出台监督法。

从1986年到1990年初，全国人大常委会办公厅系统搜集、整理了关于各级人大常委会及国外代议机构开展监督工作的情况、经验、案例等方面的大量材料，为起草监督法做准备。

六届全国人大常委会委员长彭真同志在反复考虑后提出，现在正在进行政治体制改革，在涉及体制上的一些问题没有解决前，全面讨论人大工作的条件还不具备。根据彭真同志提议，委员长会议决定，由陈丕显、黄华副委员长主持进行人大监督问题的调查研究，提出加强人大监督工作的意见。1988年3月，陈丕显副委员长在七届全国人大一次会议上所作的《全国人大常委会工作报告》中提出："需要认真总结这几年来开展监督工作的经验，建立监督工作的专门机构，制定监督工作条例对监督的内容和范围、监督的程序和方式作出更加明确的规定，使监督工作逐步制度化、规范化。"同年7月，七届全国人大常委会工作要点提出，要制定有关监督方面的法律。此后，对制定监督法又作了进一步调研论证工作。

第二阶段：组织起草阶段(1990年－2002年)

1990年3月，党的十三届六中全会通过的《关于加强党同人民群众联系的决定》指出，要建立和完善党内监督和党外监督制度。"建议全国人大常委会拟定实行工作监督和法律监督的监督法。"

1990年5月，根据党中央的要求，七届全国人大常委会成立了监督法起草小组，开始监督法的第一轮起草工作。经过几个月调研，征求意见，两易其稿，1990年10月下旬，起草组拟出了《中华人民共和国全国人民代表大会及其常务委员会监督法(草案修改稿)》。这个修改稿共 6 章 89 条,它所规定的是全国人大及其常委会的监督工作,没有规定地方人大的监督工作。

1996 年 10 月,根据《八届全国人大常委会立法规划》,八届全国人大常委会经报党中央批准,再次成立了监督法起草小组,第二轮起草工作全面启动。经过多次调查研究,七易其稿,起草小组于 1997 年 8 月完成了《中华人民共和国全国人民代表大会和地方各级人民代表大会监督法(内部试拟稿)》。这个试拟稿共 10 章 116 条,既规范全国人大的监督工作,又规范地方各级人大的监督工作。

1999 年 7 月,根据《九届全国人大常委会立法规划》和各方面的意见,九届全国人大常委会第三次成立了监督法起草小组,开始第三轮起草工作。经过三年多努力,反复调研,十二易其稿,完成了《中华人民共和国全国人民代表大会和地方各级人民代表大会监督法(草案)》。这个草案共 7 章 73 条,既有监督实体权力的规定,又有监督程序的规定,除部分条款外,绝大多数内容现行法律都有规定。

在监督法出台前,为了适应人大监督工作需要,积累实践经验,八届全国人大常委会于 1993 年 9 月通过了《关于加强法律实施情况检查监督的若干规定》,九届全国人大常委会于 1999 年 12 月、2000 年 3 月先后通过了《关于加强中央预算审查监督的决定》《关于加强经济工作监督的决定》。这三个文件的颁布实施,为制定监督法积累了有益经验。

第三阶段:审议通过阶段(2002 年 - 2006 年)

监督法草案从提请审议到表决通过,又经过了四年时间,大体经过是:

初审二审,意见纷纭。2002 年 8 月,九届全国人大常委会第二十九次会议对《中华人民共和国全国人民代表大会和地方各级人民代表大会监督法(草案)》(以下简称监督法草案)进行了初审。从审议和各方面意见看,普遍认为制定监督法十分必要,但对监督法草案感到不满意,在一些重大问题上,分歧意见比较大。

2003 年十届全国人大常委会在制定立法规划时,对监督法草案作了认真研究,认为:鉴于草案涉及的一些重大问题,在条件不成熟的情况下仓促立法,不仅思想难以统一,即使勉强通过,大家也不满意,可能还会造成思想上、工作上的混乱。同时,考虑到草案已经九届全国人大常委会初次审议,为慎重起见,决定将监督法草案列入五年立法规划第二类“需要调查研究、条件成熟时安排审议”的项目。

为慎重起见,2004 年 5 月,吴邦国委员长委托王兆国、盛华仁副委员长在全国人大常委会举办宪法学习培训班期间,专门听取了参加学习的各省(区、市)人大常委会负责同志的意见。各地方的一致意见主要有两点:一是监督法草案既然已经初审,就不能轻易让它自动终止,否则,影响不好,对地方人大及其常委会探索、研究如何有效地开展监督工作也会产生负面影响。二是建议对草案作适当修改后,重新启动审议程序,对有分歧意见的问题可以继续调查研究、总结经验。全国人大常委会根据各地意见，继续进行监督法草案的修改工作。

上海座谈会后，法律委、法工委经研究，就实践经验比较成熟、意见比较一致的几个问题，提出了修改意见，形成了监督法草案二次审议稿，于2004年8月提请十届全国人大常委会第十一次会议继续审议。修改后的草案二次审议稿共7章77条，其内容与初次审议稿基本相同，只是增加了撤职的规定，完善了一些具体规定。2004年8月，根据各方面的意见，经对监督法草案作必要修改后，十届全国人大常委会第十一次会议对监督法草案再次进行了审议。在这次审议中，意见分歧仍然较大，但有两点共识：一是认为人大监督工作要从中国国情出发，必须坚持党的领导的原则，必须坚持集体行使职权的原则，必须坚持依法办事的原则。二是建议继续认真研究，总结实践经验，进行积极探索，为立法创造条件。

再组工作班子，调整立法思路。监督法经二审后，根据常委会领导的要求，法律委、法工委于2004年12月组织了专门工作班子，集中力量开展调查研究，做好监督法草案修改工作。

2005年1月、4月、5月，法律委、法工委分别在北京、西安、郑州召开三次座谈会，邀请各省（区、市）人大常委会负责同志和部分省（区、市）党委组织部门、政府、法院、检察院的有关负责同志参加，听取对修改监督法草案的意见，一起商讨修改思路。会后，法律委、法工委的同志分别在陕西、河南部分市、县进行了调研。2005年7月，法律委、法工委的同志还专门到黑龙江省进行了调研。

工作班子经认真学习中央领导同志关于加强人大监督和制定监督法的讲话精神，深入研究宪法和有关法律的规定，汇总分析各地的实践做法和意见，进一步明确了修改监督法草案的总的原则和思路，并据此对监督法草案的框架结构和内容作了较大调整。

在此基础上，2006 年 4 月下旬，盛华仁副委员长主持召开三次座谈会，听取中央有关部门负责同志和部分全国人大常委会委员对监督法草案修改工作的意见。5 月下旬，王兆国、盛华仁副委员长主持各省（区、市）人大常委会党组负责同志座谈会，传达了中央领导同志的重要讲话和中央政治局常委会对修改监督法草案的精神，通报了关于修改监督法草案几个主要问题的考虑。

经过一年多的紧张工作，大的修改六次，大小修改二十多次，新的监督法草案共分 9 章 48 条，比原草案 77 条减少了 29 条。但内容比原来更充实了，增加了许多新的规定，对宪法和法律已有的规定原则上只作衔接性的规定，不都照抄照搬。这样修改，既增强了针对性、可操作性，也使草案比较简明扼要。

三审获得肯定，四审高票通过。2006 年 6 月，十届全国人大常委会第二十二次会议对监督法草案进行了三审，大家对草案三次审议稿给予充分肯定。会后，法律委、法工委认真研究了常委会组成人员的审议意见，又对草案 48 条中的 27 条作了修改。

2006 年 8 月下旬，十届全国人大常委会第二十三次会议对监督法草案进行了第四次审议。27 日下午，常委会全体会议 161 人到会，以 155 人赞成、1 人反对、5 人弃权高票通过了监督法。

（三）关于立法目的

立法和监督是宪法赋予人大的两项重要职权。这两项职权的行使，都需要有相应的法律使之规范化、程序化。对立法权的行使，立法法已经作了规定。对监督权的行使，这些年各级人大常委会进行了积极的探索和实践，积累了有益的经验，但至今还缺乏统一的法律规范。因此，制定监督法，对于加强人大常委会监督，完善人民代表大会制度，促进依法治国、建设社会主义法治国家，推进社会主义民主政治建设，保障人民当家作主，具有重要意义。

总结人大常委会开展监督工作的实践经验，本条规定，监督法的立法目的包括三项：

一是，保障人大常委会依法行使监督职权。二十多年来，全国人大常委会和县级以上地方各级人大常委会为加强监督工作，进行了许多有益的探索和实践。各种不同形式、不同内容的监督实践，都为制定监督法提供了有益的经验。同时，也要看到，在探索过程中，也有一些不统一、不规范的情况。因此，制定监督法的目的，就是要依据宪法和有关法律的规定，从程序上作出进一步规范化、具体化的规定，为人大常委会行使监督权提供更具操作性的法律保障，以充分发挥人大常委会的监督作用，增强监督实效。

二是，发展社会主义民主。坚持和发展人民民主，是我们党执政为民的本质要求和根本途径，是社会主义建设的根本任务之一。列宁说："人民需要共和国，为的是教育群众走向民主。需要的不仅仅是民主形式的代表机关，而且要建立由群众自己从下面来管理整个国家的制度，让群众实际地参加各方面的生活，让群众在管理国家中起积极的作用。"宪法序言规定："把我国建设成为富强、民主、文明的社会主义国家。"没有民主就没有社会主义，就没有社会主义现代化。社会主义民主的本质是人民当家作主。人民代表大会制度是我国的根本政治制度，是人民行使国家权力的根本途径和形式。人大常委会行使监督权，其实质是代表人民对"一府两院"的工作进行监督。制定监督法的一个重要目的，就是发展社会主义民主，保障人民当家作主。

三是，推进依法治国。1978 年 12 月党的十一届三中全会总结新中国成立以来我国社会主义革命和建设的实践经验，特别是"文化大革命"的沉痛教训，明确提出："为了保障人民民主，必须加强社会主义法制，使民主制度化，法制化，使这种制度和法律具有稳定性、连续性和极大的权威，做到有法可依，有法必依，执法必严，违法必究。"1980 年 8 月，邓小平在《党和国家领导制度的改革》一文中深刻指出："制度问题更带有根本性、全局性、稳定性和长期性。""制度好可以使坏人无法任意横行，制度不好可以使好人无法充分做好事，甚至会走向反面。"彭真同志也曾指出："没有社会主义法制，社会主义制度、人民的合法的自由和权利就没有保障。"1997 年 9

月党的十五大提出“依法治国,建设社会主义法治国家”的治国方略。1999 年 3 月九届全国二次会议通过的宪法修正案,把这一治国方略郑重载入宪法。依法治国,就是广大人民群众在党的领导下,依照宪法和法律规定,通过各种途径和形式管理国家事务,管理经济文化事业,管理社会事务,保证国家各项工作都依法进行。依法治国,是党领导人民治理国家的基本方略,是社会文明进步的重要标志,是国家长治久安的重要保障。依法治国把坚持党的领导、发扬人民民主和严格依法办事统一起来,从制度和法律上保证党的基本路线和基本方针的贯彻实施,保证党始终发挥总揽全局、协调各方的领导核心作用。人大常委会行使监督权,其目的就是保证体现党的主张和人民意志高度统一的法律得到全面、正确的贯彻实施,所以,推进依法治国,是制定监督法的重要目的之一。

(四)关于立法原则

坚持正确的立法原则,是提高立法质量的重要保证。制定监督法总的原则是:以邓小平理论和“三个代表”重要思想为指导,贯彻党的十六大、十六届三中、四中、五中全会精神,以宪法为依据,坚持中国特色社会主义政治发展道路,把坚持党的领导、人民当家作主和依法治国有机统一起来。坚持从我国国情和实际出发,区别不同情况对草案加以修改完善:实践经验比较成熟的,加以深化、细化,作出具体规定;实践经验尚不成熟,又需要作规定的,作出原则规定,为进一步改革留下空间;缺乏实践经验,各方面的意见又不一致的,暂不作规定,待条件成熟时再作补充完善。

（五）关于立法依据

宪法是国家的根本大法，规定国家的根本制度和根本任务，具有最高法律效力。所有法律都必须以宪法为依据，并不得同宪法相抵触。监督法同样是以宪法为依据制定的。宪法规定，中华人民共和国的一切权力属于人民；人民行使国家权力的机关是全国人民代表大会和地方各级人民代表大会，县级以上各级人大常委会是本级国家权力机关的常设机关；实行依法治国、建设社会主义法治国家；国家维护社会主义法制的统一和尊严；人大常委会审查和批准本级计划、预算在执行过程中所必须作的部分调整方案；人大常委会监督本级政府、法院、检察院的工作；全国人大常委会有权撤销国务院制定的同宪法、法律相抵触的行政法规、决定和命令，有权撤销省、自治区、直辖市国家权力机关制定的同宪法、法律和行政法规相抵触的地方性法规和决议；县级以上地方各级人大常委会有权撤销本级政府不适当的决定、命令和下一级人大不适当的决议；政府依法行使行政权，法院、检察院依法独立行使审判权、检察权；全国人大常委会认为必要时，可以组织关于特定问题的调查委员会；全国人大常委会组成人员有权依照法律规定的程序提出质询案，等等。宪法的这些规定，都是制定监督法的依据。

第二条　各级人民代表大会常务委员会依据宪法和有关法律的规定，行使监督职权。

各级人民代表大会常务委员会行使监督职权的程序，适

用本法;本法没有规定的,适用有关法律的规定。

【释义】 本条是关于本法的适用范围和人大常委会行使监督权必须坚持依照法定权限和程序原则的规定。

(一)本法的调整范围确定为规范人大常委会的监督工作

关于监督法的调整范围,在立法过程中,曾经有过三次变化。七届全国人大常委会成立的监督法起草小组于1990年10月下旬拟出的第一个监督法草案,其调整范围是全国人大及其常委会的监督工作,不包括地方人大的监督工作。八届、九届全国人大常委会成立的监督法起草小组分别于1997年8月、1999年7月提出的监督法草案和2002年8月提请九届全国人大常委会第二十九次会议初审、2004年8月提请十届全国人大常委会第十一次会议二审的监督法草案,其调整范围既包括全国人大的监督工作,又包括地方各级人大的监督工作。二审后,根据宪法规定和实际情况,对监督法的调整范围作了修改,2006年6月提请十届全国人大常委会第二十二次会议审议的监督法草案,调整范围确定为各级人大常委会的监督工作。这样修改的主要考虑:一是,各级人大和县级以上各级人大常委会都有对"一府两院"的监督权,但人民代表大会与人大常委会的具体监督职权有所不同。人民代表大会主要是听取和审议"一府两院"的工作报告,审查和批准国民经济和社会发展计划与计划执行情况的报告、预算与预算执行情况的报告。从广义的监督来看,审议工作报告,有赞成的意见,有批评的意见,也是监督;审查计划、预算,最后要决定、要批准,也包括了监督。但是,各级人大一年通常只开一次会,不可能对“一府两院”工作实施经常性的监督。按照宪法规定,对“一府两院”工作实施经常性监督的职权是由人大常委会行使的。二是,这些年各地方为加强人大监督工作所进行的探索和需要加以规范的,也集中在如何加强和完善人大常委会对“一府两院”工作的监督问题上。因此,本法只规范人大常委会的监督工作,较为切合实际。

(二)人大常委会行使监督权必须坚持依照法定权限和程序的原则

国家机关严格依法办事,是依法治国的内在要求,它不仅有利于维护法律的尊严和权威,而且可以为广大人民群众起到示范和带头作用。严格依法办事,包括两层含义:一是要严格依照法定的权限办事,即职权法定;二是要严格依照法定的程序办事,即程序法定。

所谓职权法定,一方面是国家机关的职权必须由宪法和法律规定,限于宪法和法律规定的范围内,越权违法,越权无效;另一方面是宪法和法律规定的国家机关的职权,国家机关必须认真履行,切实负起责任,失职违法,失职问责。宪法和有关法律对人大常委会的监督职权已经作了规定,主要是听取和审议专项工作报告,审查和批准决算,审查和批准计划、预算的部分调整方案,听取和审议计划和预算执行情况报告、审计工作报告,开展执法检查,审查、撤销下一级人大及其常委会作出的不适当的决议、决定和本级政府发布的不适当的决定、命令,询问和质询,组织关于特定问题的调查委员会,审议和决定撤职案。这些既是人大常委会的监督职权，也是人大常委会的监督形式。实践证明，宪法和有关法律规定的人大常委会的监督职权，充分体现了人民代表大会制度的特点和优势。现在的问题是，监督的程序不够完善，影响了监督效果，因此，监督法着重对人大常委会行使监督职权的程序作了进一步具体化规定，没有赋予人大常委会新的职权。人大常委会必须在宪法和有关法律规定的范围内行使监督职权，既不能失职，又不能越权，做到监督而不代行，到位而不越位。

所谓程序法定，就是国家机关行使职权必须严格遵循法律规定的程序，程序违法无效。有关法律对人大常委会行使监督职权的程序虽然作了一些规定，比如全国人大组织法、地方组织法、全国人大常委会议事规则，对全国人大常委会和县级以上地方各级人大常委会的监督程序作了一些规定，但从总体看，还不够规范、不够具体。因此，监督法着重对人大常委会行使监督职权的程序作了规范化、具体化的规定，使之更具有可操作性，更易收到监督实效。所以，本条规定，人大常委会行使监督职权的程序，适用本法规定；同时，考虑到有些单行法，比如预算法、审计法，对有关程序的规定更加全面，因此，本法没有规定的，仍需继续适用有关法律的规定。

第三条　各级人民代表大会常务委员会行使监督职权，应当围绕国家工作大局，以经济建设为中心，坚持中国共产党的领导，坚持马克思列宁主义、毛泽东思想、邓小平理论和“三个代表”重要思想，坚持人民民主专政，坚持社会主义道

路，坚持改革开放。

【释义】 本条是关于人大常委会行使监督权必须遵循的指导思想和政治原则的规定。

“一个中心，两个基本点”，是党的十一届三中全会总结历史经验教训提出来的我们党和国家在新的历史时期必须始终不渝地予以坚持的基本路线。宪法序言规定：“我国将长期处于社会主义初级阶段。国家的根本任务是，沿着中国特色社会主义道路，集中力量进行社会主义现代化建设。中国各族人民将继续在中国共产党领导下，在马克思列宁主义、毛泽东思想、邓小平理论和‘三个代表’重要思想指引下，坚持人民民主专政，坚持社会主义道路，坚持改革开放。”宪法的上述规定，集中表述了党和国家在社会主义初级阶段的基本路线，是宪法各项规定中最关键、最核心的内容。社会主义初级阶段基本路线，符合我国国情和实际，最集中地反映和代表了全国人民的共同意志和根本利益。党和国家的一切工作都必须坚定不移地坚持这个基本路线，任何时候都不能偏离这个基本路线。本条根据宪法规定，结合人大常委会监督工作实际，规定人大常委会行使监督职权应当围绕国家工作大局，以经济建设为中心，坚持中国共产党的领导，坚持马克思列宁主义、毛泽东思想、邓小平理论和“三个代表”重要思想，坚持人民民主专政，坚持社会主义道路，坚持改革开放。这是人大常委会行使监督权必须坚定不移地予以遵循的指导思想和政治原则。

坚持基本路线，落实到人大工作中，就是必须紧紧围绕党和国家工作大局来谋划、来开展各项工作，始终坚持以经济建设为中心。2004 年 9 月，吴邦国委员长在社会主义民主法制建设座谈会上的讲话中指出：“人大工作涉及方方面面，很多工作都是法定的，一定要做，而且要做好，不做就是失职。同时，要在提高工作实效上狠下工夫，努力开创人大工作的新局面。这当中关键的一条，就是人大工作必须服从和服务于党和国家的中心工作，紧紧围绕党和国家工作的大局，紧紧围绕改革发展稳定中的热点和难点问题，紧紧围绕关系群众切身利益的问题，从人大工作的定位和特点出发，集中力量，突出重点，抓住关键，努力取得党和人民满意的效果。”吴邦国委员长的这一讲话深刻指出，紧紧围绕国家工作大局，是人大工作所必须坚持的指导思想和原则。

什么是国家工作大局？主要包括两个层面的含义：一是，我们党和国家在整个社会主义初级阶段必须始终不渝地予以坚持的工作重点。这就是以经济建设为中心，发展是硬道理，发展是第一要务。这个发展，是全面的、协调的、可持续的发展，是科学的发展。具体来说，就是要“统筹城乡发展、统筹区域发展、统筹经济社会发展、统筹人与自然和谐发展、统筹国内发展和对外开放”的发展，而不是片面的发展。二是，我们党和国家围绕发展这个第一要务在各个不同时期所开展的工作重点。大目标确定后，必须从实际出发，实事求是，脚踏实地，有步骤分阶段地认真加以实施，不断向最终目标推进。

围绕国家工作大局，首先，必须始终不渝地坚持党和国家在整个社会主义初级阶段的基本路线，须臾不能偏离这个基本路线。其次，必须认真贯彻执行党和国家在不同时期制定的具体路线、方针、政策和对重大问题所作出的决策。第三，必须紧紧围绕改革发展稳定中的热点难点问题和关系群众切身利益的问题开展监督。我们的党是全心全意为人民服务的党，我们的国家是人民当家作主的国家。改革发展稳定中的热点难点问题、关系群众切身利益的问题，始终是党和国家的工作重点。《中华人民共和国各级人民代表大会常务委员会监督法》（以下简称监督法）第八条明确规定："各级人民代表大会常务委员会每年选择若干关系改革发展稳定大局和群众切身利益、社会普遍关注的重大问题，有计划地安排听取和审议本级人民政府、人民法院和人民检察院的专项工作报告。"第二十二条规定："各级人民代表大会常务委员会参照本法第九条规定的途径，每年选择若干关系改革发展稳定大局和群众切身利益、社会普遍关注的重大问题，有计划地对有关法律、法规实施情况组织执法检查。"这些规定是总则这一条规定的具体化。第四，必须严格依法办事，这既是围绕国家工作大局的要求，又是围绕国家工作大局的具体体现和保障。法律是党的主张和人民意志的高度统一，是党和国家工作大局的法律化、制度化。贯彻执行法律，实质就是服从并服务于国家工作大局，两者是高度统一的。

坚持基本路线，最重要、最关键、最根本的是坚持党的领导，这是国家稳定发展繁荣的根本政治保证，是坚持基本路线的内在要求和保证。没有中国共产党，就没有新中国，就没有改革开放，就没有社会主义现代化。邓小平同志曾深刻指出：

“在中国这样的大国，要把几亿人口的思想和力量统一起来建设社会主义，没有一个由具有高度觉悟性、纪律性和自我牺牲精神的党员组成的能够真正代表和团结人民群众的党，没有这样一个党的统一领导，是不可能设想的，那就只会四分五裂，一事无成。”“坚持四项基本原则的核心，就是坚持党的领导。”

党的十六大报告指出：“党的领导主要是政治、思想和组织领导，通过制定大政方针，提出立法建议，推荐重要干部，进行思想宣传，发挥党组织和党员的作用，坚持依法执政，实施党对国家和社会的领导。”党和国家，目标是完全一致，但形式有所不同。彭真同志说：“虽然党是代表人民、全心全意为人民的，但党员在十亿人民中只占少数，绝大多数是非党员。我们不仅有党，还有国家。党和国家要做的事，讲内容，当然是一个东西……讲形式，那就不仅有党，还有国家的形式。党的政策要经过国家的形式而成为国家的政策，并且要在实践中证明是正确的政策用法律的形式固定下来。”他还说：“凡是关系国家和人民的大事，光是党内作出决定也不行，还要同人民商量，要通过国家的形式。”党集中人民的意志，提出大政方针、政策，向国家机关提出建议，然后通过国家机关中的党组织和党员模范地贯彻执行党的主张，把它上升为国家意志，并通过“一府两院”中的党组织和党员发挥模范作用，加上人大常委会的监督，来保证“一府两院”严格依法办事，从而保证党的主张得到正确贯彻落实，实现党对国家和社会的领导。

在人大常委会行使监督权中做到坚持党的领导，一是，必须紧紧围绕党的中心工作开展监督，保证体现了党的主张的法律、法规、决议、决定等得到正确、全面的贯彻实施。二是，必须坚持党管干部原则。坚持党管干部，是坚持党的领导、巩固党的执政地位的组织保证。人大常委会行使监督权，必须有利于坚持党管干部，而不代替党管干部。三是，人大常委会在行使监督权过程中的重大事项，必须及时向党组织请示报告，贯彻党作出的决策。

第四条　各级人民代表大会常务委员会按照民主集中制的原则，集体行使监督职权。

【释义】　本条是关于人大常委会必须坚持集体行使监督权原则的规定。

民主集中制原则，最初是列宁作为一项建党原则提出来的，十月革命胜利后，列宁又把它运用到国家政权建设上。我们党一直就把民主集中制原则作为一项建党的根本原则，在革命根据地和建国后，又把它运用到国家政权建设上。人民代表大会制度就是按照民主集中原则组织起来和进行工作的。宪法第三条明确规定："中华人民共和国的国家机构实行民主集中制的原则。"毛主席在七大上指出，只有民主集中制这个制度，"才既能表现广泛的民主，使各级人民代表大会有高度的权力；又能集中处理国事，使各级政府能集中处理被各级人民代表大会所委托的一切事务，并保障人民的一切必要的民主活动。"党的十四届四中全会通过的《关于加强党的建设几个重大问题的决定》指出:“民主集中制是科学的合理的有效率的制度,它有利于体现人民群众的根本利益和愿望,有利于党的路线方针政策的正确制定和执行,发生失误也能得到有效的纠正。”实践证明,民主集中制具有很大优势性和强大的生命力。

民主集中制原则,就是民主基础上的集中和集中指导下的民主相结合的制度。作为国家政权建设根本原则的民主集中制,包括两层含义:一是作为国家政权的组织原则,它体现为:由人民选举产生各级人大代表,组成各级国家权力机关,代表人民统一行使国家权力;各级政府、法院、检察院都由本级人大产生,向它负责和报告工作,受它监督。二是作为国家机关的工作原则,它体现为:人大实行合议制,集体讨论问题,集体决定问题;政府实行首长负责制,重大问题由政府常务会议或者全体会议讨论决定;法院、检察院依法独立行使审判权、检察权。

集体行使职权,包括集体行使监督职权,是民主集中制原则在人大常委会工作中的具体体现,是人大常委会的一项根本工作制度、工作方式、运行机制。这种机制,对于保证人大常委会作出的决策比较少失误,保障人民当家作主,是至关重要的。2005 年 4 月,吴邦国委员长在江苏考察时的讲话中指出:“人大工作有其自身的工作特点。它跟党委工作不同,跟政府工作也不同,人大是严格按程序集体决定问题。在人大工作,个人无权,集体有权。委员长也是一票,跟普通代表的权力相同,没有加权系数。”他还进一步指出:“人大是最高的国家权力机关，为什么它有这种权威？我看正是这种机制决定它的权威，避免个人利益、个人判断而引起的一些错误。”

坚持集体行使监督权，一要始终坚持监督权属于人大常委会。委员长会议或者主任会议、专门委员会、常委会工作机构、常委会组成人员个人，都不能代替常委会行使监督职权。二要始终坚持集体讨论问题，充分发扬民主，集思广益。三要始终坚持少数服从多数，按照多数人的意见作出决定。

第五条　各级人民代表大会常务委员会对本级人民政府、人民法院和人民检察院的工作实施监督，促进依法行政、公正司法。

【释义】　本条是关于人大常委会必须坚持监督“一府两院”工作的原则的规定。

我国的政体是人民代表大会制度。这个制度的特点是，在由各级人民代表大会统一行使国家权力的前提下，又对国家权力机关、行政机关、审判机关、检察机关的职责做了明确划分。人大对政府、法院、检察院工作的监督，既是一种制约，又是一种支持和促进。这与西方国家的“三权鼎立”、相互掣肘有本质区别。实践证明，中国特色社会主义政治发展道路符合中国国情，具有极大的优越性和强大的生命力。人大监督的内容是工作监督和法律监督两个方面。工作监督，就是监督“一府两院”是否严格依法办事，是否坚持执政为民、以人为本，是否真正做到“权为民所用、情为民所系、利为民所谋”，是否全心全意为人民服务。彭真同志说：“人大常委会对政府工作的监督，主要是监督它是否违宪、违法，是否正确执行国家的方针、政策，是否符合人民的根本利益。”法律监督，就是对法规、规章和其他规范性文件进行备案审查和执法检查，发现这些文件同宪法和法律相抵触的，依法予以撤销或者责令制定机关予以纠正。从实践看，人大常委会的监督，大量的、经常性的监督，是工作监督。人大监督的目的，是纠正有法不依、执法不严、违法不究的行为，纠正以言代法、以情枉法、以权压法的问题，维护国家法制的尊严，确保宪法和法律得到正确实施，确保行政权和司法权得到正确行使，确保公民、法人和其他组织的合法权益得到尊重和维护。

坚持监督“一府两院”工作的原则，要求人大常委会紧紧围绕党和国家工作大局开展监督，抓住关系改革发展稳定和群众切身利益、社会普遍关注的重大问题进行监督，对这些问题要监督到底，抓出实效，而不代替、不干扰“一府两院”的日常工作。彭真同志说：“重大原则问题，该管就管，少一事不如多一事；日常工作问题，不必去管，多一事不如少一事。”只管重大原则问题，不管具体事务，只作决定，不具体执行，把具体事务、执行工作，交给“一府两院”依法去办，这是一个界限。

第六条　各级人民代表大会常务委员会行使监督职权的情况，应当向本级人民代表大会报告，接受监督。

【释义】　本条是关于人大常委会行使监督权必须受本级人大监督原则的规定。

各级人民代表大会是国家权力机关，常委会是本级人大的常设机关。常委会是由本级人大选举产生的，向本级人大负责并报告工作，受本级人大监督。宪法第六十九条规定："全国人民代表大会常务委员会对全国人民代表大会负责并报告工作。"全国人民代表大会组织法第三十三条规定："常务委员会在全国人民代表大会每次会议举行的时候，必须向全国人民代表大会提出工作报告。"《中华人民共和国地方各级人民代表大会和地方各级人民政府组织法》（以下简称地方组织法）第四十条第二款规定："县级以上的地方各级人民代表大会常务委员会是本级人民代表大会的常设机关，对本级人民代表大会负责并报告工作。"彭真同志说："常委会受不受监督？受监督，它受代表大会监督。所以，每次召开大会，常委会要向大会作工作报告。常委会无权监督代表，而是受代表监督的。代表受谁监督？受原选举单位监督。"正是这样一层监督一层，从而保证国家权力始终掌握在人民手里，真正用于为人民服务。

各级人大常委会行使监督权的情况，向本级人大报告，通常是在每年一次人大会议上作常委会工作报告时，一并对人大常委会开展监督工作的情况作出报告，一般不单独报告。人大会议要对常委会工作报告进行审议，提出意见，作出决议，做得好的，予以肯定，做得不好的，提出批评和改进建议，这是常委会接受人大监督的基本的、主要的方式。

第七条　各级人民代表大会常务委员会行使监督职权的

情况，向社会公开。

【释义】 本条是关于人大常委会行使监督权必须坚持公开原则的规定。

公开，是民主的应有之义。列宁说，民主"要包含两个必要条件：第一，完全的公开性；第二，一切职务经过选举。没有公开性而来谈民主制是很可笑的"。在我国，人民是国家的主人，国家机关的权力是人民授予的，因此，国家机关的活动，必须让人民群众知道，接受人民群众的监督，这是人民当家作主的体现和要求。宪法第二十七条第二款规定："一切国家机关和国家工作人员必须依靠人民的支持，经常保持同人民群众的密切联系，倾听人民的意见和建议，接受人民的监督，努力为人民服务。"2004 年 9 月，吴邦国委员长在社会主义民主法制建设座谈会上的讲话中深刻指出："人大最大的优势是密切联系群众，最大的危险是脱离人民群众。人民群众的根本利益和共同意志，是人大一切工作的出发点和归宿。只有保持同人民群众的血肉联系，更好地代表人民，自觉地接受人民群众的监督，才能使人大工作保持旺盛的生命力。"他还强调指出："要把权为民所用、情为民所系、利为民所谋作为人大工作的准则，倾听人民呼声，代表人民意愿，维护人民利益，使人大的各项工作顺应民心，反映民意，贴近民生。"

为了保证人大常委会行使监督权始终置于人民群众的监督之下，督促人大常委会正确行使监督权，做到既不失职，又不越权，本条明确规定，人大常委会行使监督职权的情况，向社会公开。同时，将人大常委会行使监督权的情况向社会公开，对

“一府两院”也是一种督促，有利于他们更加自觉地接受人大常委会的监督，认真改进工作，提高工作水平，以取信于民。

为了保证本条规定落到实处，监督法作了一系列具体的、可操作的规定。比如，监督法第八条第二款规定：“常务委员会听取和审议专项工作报告的年度计划，经委员长会议或者主任会议通过，印发常务委员会组成人员并向社会公布。”第十四条第二款规定：“常务委员会听取的专项工作报告及审议意见，人民政府、人民法院或者人民检察院对审议意见研究处理情况或者执行决议情况的报告，向本级人民代表大会代表通报并向社会公布。”第二十条第二款规定：“常务委员会听取的国民经济和社会发展计划执行情况报告、预算执行情况报告和审计工作报告及审议意见，人民政府对审议意见研究处理情况或者执行决议情况的报告，向本级人民代表大会代表通报并向社会公布。”第二十七条第二款规定：“常务委员会的执法检查报告及审议意见，人民政府、人民法院或者人民检察院对其研究处理情况的报告，向本级人民代表大会代表通报并向社会公布。”公布的形式，包括在人大常委会公报上刊登、在人大网站上公布、在报纸上登载等。除以上明确规定必须公布的情况外，常委会行使监督权的其他情况，除涉及国家秘密或者其他需要保密的情况外，也向社会公开，比如人大常委会审查和批准的决算，审查和批准的计划、预算的部分调整方案，听取和审议专项工作报告后作出的决议，也向社会公布。同时，常委会会议通常都公开举行，允许新闻媒体采访、报道，这也是公开的重要方式。

第二章 听取和审议人民政府、人民法院和人民检察院的专项工作报告

从第二章到第八章是本法的主文部分，也称分则，是有关监督行为规范的规定，是对总则确立的立法思想、价值取向和基本原则等加以明确化、具体化，以便遵循。

围绕党和国家工作大局，每年选择若干关系改革发展稳定大局和群众切身利益、社会普遍关注的重大问题，听取和审议本级政府、法院和检察院的专项工作报告，也称工作评议，是人大常委会行使监督权的主要的、基本的形式，十分便于人大常委会开展经常性监督。做好听取和审议专项工作，对于促进“一府两院”依法行政、公正司法，促进社会主义民主政治建设，维护广大人民的合法权益，具有重要意义。依据宪法和有关法律规定，总结多年实践经验，本章按照增强人大常委会监督针对性和实效性的要求，对各级人大常委会听取和审议“一府两院”的专项工作报告，作了进一步规范化、程序化的规定，使之更具可操作性。

本章共七条，规定了人大常委会听取和审议“一府两院”

专项工作报告年度计划的制定、听取和审议程序、审议意见的处理等。

第八条　各级人民代表大会常务委员会每年选择若干关系改革发展稳定大局和群众切身利益、社会普遍关注的重大问题，有计划地安排听取和审议本级人民政府、人民法院和人民检察院的专项工作报告。

常务委员会听取和审议专项工作报告的年度计划，经委员长会议或者主任会议通过，印发常务委员会组成人员，并向社会公布。

【释义】　本条是关于专项工作报告选题和年度计划的规定。

（一）将“述职评议”引导到“工作评议”

改革开放以来，各地方为加强人大常委会对“一府两院”工作的监督，进行了积极的探索和实践，大体上形成了“述职评议”“工作评议”两种做法。这两种不同形式、不同内容的监督实践，都为修改好、完善好监督法草案提供了有益的经验。经反复比较、认真研究，从监督实效看，经验比较成熟、认识比较一致的做法，是对“一府两院”的专项工作进行监督。因此，监督法将“述职评议”引导到“工作评议”，专门对人大常委会监督“一府两院”专项工作作了规范化、程序化的规定。评议专项工作，把对有关主管领导干部的工作业绩和存在的问题寓于其中，实际上对干部也是一种监督，并有助于干部所属部门对干部的了解、考察。这样，就妥善处理了加强人大监督与坚持党管干部的原则间的关系。

工作评议,是20世纪90年代初期从乡镇人大开展评议“七所八站”活动逐渐发展起来的,并逐步延伸到县级。90年代中期以来,工作评议由乡县发展到省、市,各地普遍推开。各地工作评议的程序大体分为四个阶段:一是准备阶段。主要是确定被评议的对象和内容,制定评议方案,组织参评人员学习法律、法规和文件等。二是调查研究阶段。主要是评议小组通过视察、检查、调查,召开各种类型的座谈会,听取汇报、走访群众等形式掌握被评议单位的情况。三是会议评议,即在常委会会议上听取被评议对象的工作报告,由常委会组成人员和列席代表进行评议,形成评议意见。四是被评议对象按照评议意见进行整改,并向人大常委会进行反馈。监督法认真总结各地开展工作评议的经验,吸收了实践中的成功做法,保持了工作评议的基本特征:一是专项工作报告的议题计划要向社会公开,听取人民群众对议题的意见和建议,并组织常委会组成人员和本级人大代表就有关工作开展视察或者专题调查研究。二是在人大常委会会议上对专项工作报告进行审议,专项工作报告由“一府两院”的负责人或者政府委托的有关部门负责人报告。三是“一府两院”要认真研究处理常委会组成人员的审议意见,并向常委会提出书面报告。因此,尽管监督法中并没有出现“工作评议”字样,但体现了工作评议的实质精神,兼顾了一般听取和审议工作报告和工作评议两方面的特点。

监督法对听取和审议专项工作报告的规定,源于实践中的成功经验,但又不同于实践中的一些做法,对工作评议进行了规范。一是统一规范了监督主体。过去实践中有一些地方开展的工作评议,以人大代表为主体,如乡镇评议“七站八所”,是代表闭会期间的一种活动,监督法统一规范为人大常委会,主体更加明确。二是统一规范了评议对象。过去工作评议对象突出的是政府及其工作部门和“两院”,强调评议政府部门和“两院”的全面工作,监督法规范为“一府两院”就特定问题报告专项工作。问题可能涉及一个部门工作的某一方面,也可能涉及几个部门,针对的是问题。三是规范了评议议题的选择与确定。监督法规定了确定和选择专项工作报告议题的六条途径,另外,“一府两院”还可以主动要求报告专项工作。这些都使工作评议制度得到新的发展与完善。

(二)专项工作监督是人大常委会监督“两院”的主要形式

改革开放以来,各地方为加强人大常委会对本级法院和检察院工作的监督,进行了积极的探索和实践。带有一定普遍性的做法是,对人大代表和人民群众向人大常委会反映的涉法涉诉问题,有些由人大专门委员会或者人大常委会工作机构、有些由主任会议或者分管副主任转交“两院”依法处理,作为启动“两院”内部监督机制的一个渠道。这对促进公正司法,起了一定作用。有些地方把这种做法叫做“个案监督”,实际上并不是“个案监督”,因为并不是由人大常委会集体行使职权,而是属于处理信访的工作问题。监督法对此没有作规定,今后需要在总结实践经验的基础上,继续加以规范,按照规范化的要求,把处理信访问题的工作做好,但不能搞调查取证、提出如何判决等代替司法机关具体办案的事情。

人大常委会对“两院”进行监督,关键是要处理好与“两院”独立行使审判权、检察权的关系。依据宪法和有关法律的规定,法院、检察院依法独立行使审判权、检察权;人大是国家权力机关,不是审判机关和检察机关。人大常委会对“两院”的工作进行监督,不能代替“两院”办理“个案”。人大常委会通过听取和审议“两院”专项工作报告,督促司法机关完善内部监督机制,重点解决审判工作、检察工作中群众反映强烈、带有共性的问题,如告状难、执行难、赔偿难、刑讯逼供、超期羁押、错案不纠、司法不公等问题。既依法加强人大常委会对“两院”工作的监督,增强监督实效;又能保障法院、检察院依法独立行使审判权、检察权。因此,专项工作监督是人大常委会监督“两院”的主要形式。

(三)听取和审议专项工作报告要突出重点

全国人大和地方各级人大常委会监督本级“一府两院”的工作,监督法律的实施,范围广,任务重。为了发挥监督实效,必须突出监督重点。十届全国人大常委会在总结多年人大监督工作经验的基础上,形成了“围绕中心、突出重点、讲求实效”的监督工作思路。吴邦国委员长在十届全国人大三次会议上所作的常委会工作报告中指出,“人大工作要紧紧围绕党和国家工作的大局、紧紧围绕改革发展稳定中的热点难点问题、紧紧围绕关系人民群众切身利益的问题,集中力量、突出重点,抓住关键,取得党和人民满意的效果”。听取和审议专项工作报告作为人大常委会的一项经常性的监督形式，必须突出重点，选择若干关系改革发展稳定大局和群众切身利益、社会普遍关注的重大问题开展监督。这也是监督法所贯彻体现的监督工作思路，如执法检查要有重点地进行，对决算草案和预算执行情况报告实行重点审查等。实践证明，紧紧围绕关系改革发展稳定大局和群众切身利益、社会普遍关注的问题，如“三农”问题、义务教育、环境保护、安全生产、拆迁补偿问题等，听取和审议专项工作报告，由于社会各界普遍关注，常委会组成人员也都比较熟悉，能提出不少中肯的意见和建议，可以增强人大监督工作的针对性和实效性。十届全国人大常委会以来，先后听取了关于非典防治工作，传染病防治法实施情况，高致病性禽流感防治工作，建立健全突发公共卫生事件应急机制工作情况，第四个五年普法工作三年来情况，当前农业与农村工作情况，基层法院、检察院建设情况，整顿和规范市场经济秩序情况，水资源节约、保护和合理利用情况，当前能源形势与能源安全等专项工作报告三十多个，取得了明显的实效。

（四）听取和审议专项工作报告要有计划性

人大常委会的监督，按照监督工作开展的频率，大体可分为三类：一是经常性的监督，即常年都要开展的监督，如听取和审议专项工作报告、执法检查、规范性文件的备案审查等；二是例行监督，即在特定时间内必须进行的监督，如审查和批准决算、年中听取和审议计划和预算执行情况的报告、听取和审议审计工作报告等；三是在特定情况和条件下启动的监督，如质询、特定问题调查和审议决定撤职案等。听取和审议专项工作报告作为一种经常性的监督形式,应当有计划地开展。增强听取和审议专项工作报告的计划性,一是有利于报告机关提早着手准备报告,认真研究、解决存在的问题;二是有利于有关专门委员会或工作委员会配合开展相关工作;三是有利于提前开展视察或调查研究;四是有利于专项工作报告的修改完善,提前将专项工作报告送交常委会组成人员。这些都是增强听取和审议专项工作报告实效不可缺少的。在过去的实践中,全国人大常委会听取和审议专项工作报告的计划按年度编制,由办事机构根据常委会向大会所作的工作报告的要求,综合研究各专门委员会、工作机构和有关机构的意见和建议,于每年第一季度拟订常委会听取和审议专项工作报告的计划,向委员长会议汇报并经批准后,印发常委会会议。《全国人大机关贯彻实施监督法若干意见》进一步明确,全国人大常委会听取和审议专项工作报告的计划要在每年 12 月提请委员长会议审议通过。需要说明的是,对于计划编制后发生的重大事故、事件,或者引起人民群众普遍关注的焦点、热点问题,虽然计划没有列入,但经委员长会议或主任会议建议,常委会也可以听取相关的工作报告。不仅常委会年度内听取和审议专项工作报告要有计划,合理安排,而且听取和审议每一专项工作报告的工作安排和步骤,如议题向社会公布、开展视察或调查等,也应有详细的工作方案。

(五)听取和审议专项工作报告的年度计划应当公布

听取和审议专项工作报告的年度计划向社会公布,是人大常委会实行公开监督原则的具体体现。监督法第七条规定,各级人大常委会行使监督职权的情况,向社会公开。将年度计划公开,就是要广泛听取人民群众对各项议题的意见,根据人民群众的意见进行监督,切实解决人民群众所关心关注的问题。对于如何公布听取和审议专项工作报告的年度计划,面向社会征求意见,法律未作具体规定。这里主要有以下几个问题需要研究:一是除了一揽子公布年度计划外,是否可以将专项工作报告的议题单独公布,征求意见。监督法草案三次审议稿曾规定,常委会每次听取和审议专项工作报告前,将议题向社会公布。后来在审议中,考虑到将专项工作报告议题一一公布,在有些情况下难以做到,因此改为公布年度计划。但根据这一精神,是可以将专项工作报告议题单独公布的。提前公布专项工作报告议题,要安排好提前公布的时间。根据监督法,专项工作报告要在常委会会议前20日送交专门委员会或工作机构征求意见,此前人大常委会的办事机构还应当将各方面的意见汇总、整理,交报告机关研究等,因此,议题提前公布的时间要充分考虑这些要求。二是采取何种形式公布。可以通过报纸、电视、电台、网络等公布。至于是采取发布新闻还是采取发布公告的方式公布,可以根据实际情况来决定。为便于各方面提出意见,公布时还应当告知公布的目的、意见送交的渠道等。三是公布之后如何开展工作。要配合年度计划或议题的公布,开通热线电话、设立专门网页、在新闻媒体上组织专题讨论等,方便各方面提出意见。改革开放以来,全国人大常委会坚持公开立法,在公布法律草案、公开征求意见方面，积累了许多经验。2005年物权法草案向社会公布征求意见，以多种形式向社会介绍法律草案的立法目的、主要内容和有关法律知识；全面、及时、准确地收集整理各方面提出的意见和建议，并通过新闻媒体向社会公布；通过新闻媒体的多种栏目，为公民和立法机关之间搭建沟通、互动平台，及时反映公民的意见和建议，反馈研究修改情况和说明，形成了新的特点。这些都值得在听取和审议专项工作报告年度计划或议题公布中借鉴。

第九条 常务委员会听取和审议本级人民政府、人民法院和人民检察院的专项工作报告的议题，根据下列途径反映的问题确定：

（一）本级人民代表大会常务委员会在执法检查中发现的突出问题；

（二）本级人民代表大会代表对本级人民政府、人民法院和人民检察院工作提出的建议、批评和意见集中反映的问题；

（三）本级人民代表大会常务委员会组成人员提出的比较集中的问题；

（四）本级人民代表大会专门委员会、常务委员会工作机构在调查研究中发现的突出问题；

（五）人民来信来访集中反映的问题；

（六）社会普遍关注的其他问题。

人民政府、人民法院和人民检察院可以向本级人民代表大会常务委员会要求报告专项工作。

【释义】 本条是关于专项工作报告议题确定途径的规定。

为了使专项工作报告议题选定规范化、科学化，防止任意性，保证关系改革发展稳定大局和群众切身利益、社会普遍关注的重大问题的报告及时列入常委会议事日程，本条明确了专项工作报告议题确定的途径：

（一）执法检查中发现的突出问题

执法检查是人大常委会在实践中形成的把工作监督和法律监督结合起来的一种行之有效的监督形式。执法检查能够比较系统地发现执法中的薄弱环节和存在的问题。这些问题通常也是人民群众所普遍关心的热点、难点问题，如水法所涉及的饮用水源污染、产品质量法所涉及的假冒伪劣商品、土地管理法所涉及的乱占耕地等问题。同时，执法检查还能发现法律、法规自身存在的不足，有利于修改完善有关法律、法规。为了促进有关问题的解决，针对执法检查中发现的突出问题，可以听取和审议“一府两院”的专项工作报告。

（二）代表建议、批评和意见集中反映的问题

根据全国人大组织法和地方组织法，人大代表有权向本级人大或其常委会提出对全国或本行政区域范围内各方面工作的建议、批评和意见，由有关机关或者组织研究处理并负责答复。它是代表执行代表职务，参加管理国家事务、管理经济和文化事业、管理社会事务的一项重要工作。随着人民代表素质的不断提高，人大代表提出的建议、批评和意见的质量越来越高，很多都是围绕国家改革发展稳定的大局，政治、经济、

文化、社会生活中的重大问题和人民群众普遍关心的问题而提出的。在2006年3月十届全国人大四次会议上，全国人大代表以对国家和人民高度负责的态度，认真履行宪法和法律赋予的职责，对各方面工作提出建议6511件，比上次会议增加了627件，增长10.66%。我国的人民代表实行兼职制，履行代表职务，不脱离本职工作。代表生活在人民群众中，工作在各条战线，对社会实际有深切的了解和把握。这是人民代表履职的优势。事实上，历年来代表提出的建议，都直接来源于社会生活和市场信息，来源于群众的意愿和呼声，来源于代表个人的实践和理性思考，涉及国民经济的各个部门、社会活动的各个领域、人民生活的各个方面，具有较强的针对性、实用性和重要的参考价值，因此是确定专项工作报告议题的重要来源。常委会办事机构要将代表建议进行整理研究，归类分析，抽象出代表建议集中反映的问题。

（三）常委会组成人员提出的比较集中的问题

专项工作报告由常委会听取和审议，其议题的选定要充分听取常委会组成人员的意见。本条对常委会组成人员提出意见和问题的形式、渠道未作规定，应当说包括常委会组成人员在所有的履职行为中提出的意见和问题。具体来说，主要是通过以下渠道和途径提出的问题：(1)常委会组成人员在审议各项议案、各项报告时发表审议意见所涉及的问题；(2)常委会组成人员在视察、调查、执法检查中以及通过提出议案、建议反映的比较集中的问题；(3)常委会组成人员就专项工作报告年度计划，直接就选题提出的意见；(4)委员长会议或主任会议成员在研究相关工作时提出的问题等。

（四）调查研究中发现的突出问题

坚持走群众路线，深入实践、深入基层、深入群众，加强调查研究，是做好立法与监督工作的重要法宝。近年来，全国人大常委会不断加强专题调研工作，先后就农业政策、金融支农等开展调研，取得了一批调研成果。2005 年中央 9 号文件提出，“专门委员会应大力加强调查研究工作，在此基础上提出全国人大常委会执法检查和听取专题工作报告的建议”。因此，人大专门委员会或者工作机构在调查研究中，对发现比较突出的问题，要及时向常委会报告，建议就此听取专项工作报告。

（五）人民来信来访集中反映的问题

根据我国宪法，公民享有提出批评和建议，申诉、控告或检举的权利。根据地方组织法，县级以上地方各级人大常委会受理人民群众对本级“一府两院”及其工作人员的申诉、控告或检举。受理人民群众的来信来访，是人大常委会密切同人民群众的联系，维护人民群众的合法权益，更好地了解社情民意的重要渠道。受理人民群众来信来访，可以了解到党和国家路线、方针、政策的贯彻执行情况，宪法、法律的实施情况，“一府两院”的工作情况，国家机关工作人员遵纪守法情况等。来信来访中反映的政治、经济、社会和改革发展中带倾向性的问题，人民群众反映强烈的热点问题，民主法制建设和影响社会稳定等问题，都是确定听取和审议专项工作报告的重要依据。

（六）其他途径发现的社会普遍关注的问题

人大常委会确定专项工作报告议题的途径不限于上述五

个方面,其他渠道反映的社会普遍关注的问题,如新闻舆论反映、报道比较集中的问题,人大常委会在规范性文件的备案审查、审查批准决算等工作中发现的具有普遍性的问题,都可以作为确定专项工作报告议题所考虑的因素。

上述确定专项工作报告议题的途径,有一个显著特点,即突出"问题"意识。专项工作报告议题要根据"问题"确定,而不是一般地泛泛地听取和审议专项工作报告。这种"问题"有三个特点:一是具有突出性,是各种问题中的重要问题,是主要矛盾的体现;二是具有集中性,是不同群体、不同方面共同反映的问题;三是具有普遍性,是广泛存在的问题,而不是零星的、个别的问题。根据问题听取和审议专项工作报告,有利于集中监督力量有针对性地开展监督,突出监督重点,增强监督实效。根据问题听取和审议专项工作报告,实际上也是把委员、代表所关心关注的问题、所要了解的事项融入到了专项工作报告,是把"询问"和"质询"固化到专项工作报告,是人大常委会监督工作的创新与发展。

除了人大常委会根据反映的问题主动确定专项工作报告的议题外,"一府两院"也可以主动要求向本级人大常委会报告专项工作。主动提出的专项工作报告议题,也应当是属于涉及改革发展稳定大局和群众切身利益、社会普遍关注的重大问题,而不应是一般性问题。

第十条 常务委员会听取和审议专项工作报告前,委员长会议或者主任会议可以组织本级人民代表大会常务委员会

组成人员和本级人民代表大会代表，对有关工作进行视察或者专题调查研究。

常务委员会可以安排参加视察或者专题调查研究的代表列席常务委员会会议，听取专项工作报告，提出意见。

【释义】 本条是关于就专项工作报告的议题进行视察或者专题调查研究的规定。

各地开展工作评议的一条重要经验，就是在开展评议之前，对评议部门的工作开展调查研究，通过视察、检查、调查、座谈等形式掌握被评议单位的情况，使评议更有针对性。监督法总结各地开展评议工作的经验，将这一做法从法律上加以规范。这也是人大常委会听取和审议专项工作报告的一个重要发展。

视察是人大代表了解各方面的现实情况，密切联系人民群众，听取人民群众意见的重要形式。全国人民代表大会和地方各级人民代表大会代表法规定，县级以上各级人大代表根据本级人大常委会的统一安排，对本级或者下级国家机关和有关单位的工作进行视察。代表视察时，可以向被视察单位提出建议、批评和意见，但不直接处理问题。按视察的内容，视察可分为全面视察和专题视察。结合听取和审议专项工作报告开展的视察，就属于专题视察。视察应突出重点，抓住关键，有目的、有准备地进行。专题调研是人大代表大会闭会期间活动的一种新的形式，全国人大代表一般在年中进行为期一周的专题调研。专题调研结束后，要形成调研报告，送常委会办事机构处理。结合听取和审议专项工作报告，开展视察或专题调研，丰富了代表闭会期间的活动，也使视察或调研更能取得实效。视察或调研的组织主体是委员长会议或者主任会议，他们对结合专项工作报告组织开展视察或调研享有酌情权，即是否进行视察或专题调研，是进行视察还是专题调研，可以根据专项工作报告议题所涉及的内容决定。参加人员是本级人大常委会组成人员和人大代表。考虑到常委会组成人员和本级人大代表的数量比较多，特别是全国和省一级，不能全都参加视察或调研，可以邀请相关常委会组成人员和代表参加，如具有与专项工作报告议题相关的工作背景，或者是就议题提出了相关议案、建议，或者是一直关心、研究与议题有关的问题等。视察或调研的内容是与专题工作报告有关的工作情况，目的直接服务于对专项工作的监督。

人大常委会举行会议，可以邀请本级人大代表列席会议，发表意见。这也是人大常委会接受代表大会监督的一种形式。就专项工作监督而言，监督法把常委会监督与代表履职结合起来。对于参与了相关视察或调研工作的本级人大代表，常委会听取和审议专项工作报告时，原则上邀请他们列席会议，发表意见。他们通过视察或调研，熟悉和掌握了与专项工作报告有关的情况和问题，列席会议有利于深化对专项工作报告的审议，增强监督力度，充分发挥代表作用。

第十一条　常务委员会听取和审议专项工作报告前，常务委员会办事机构应当将各方面对该项工作的意见汇总，交由本级人民政府、人民法院或者人民检察院研究并在专项工

作报告中作出回应。

【释义】 本条是关于报告机关应当在报告中对各方面的意见作出回应的规定。

实践中工作评议的一个通常做法，就是评议工作组在对被评议机关的工作进行调查了解后，要与被评议机关沟通情况、交换意见。监督法对这一做法进行了总结、规范：

一是常委会办事机构应当将各方面对与专项工作报告议题有关的意见汇总整理。包括年度计划确定的议题向社会公布后，人民群众通过各种渠道提出的意见；人大常委会组成人员和人大代表进行视察或调研收集、了解到的意见；有关机关、组织、团体向人大常委会反映的意见；新闻媒体报道反映的意见等。常委会办事机构对各方面意见的汇总应当及时、准确、全面，要尽量避免延误、错漏、重复。各方面在就专项工作报告议题提出意见的同时，也可能就其他方面的问题提出意见。作为汇总整理交报告机关研究的意见，应重点围绕专项工作报告议题。至于其他方面的意见，可根据情况另行处理。汇总整理各方面的意见，应突出重点，在肯定相关工作成绩的同时，重点反映存在的问题及意见、建议。汇总的意见应报经办事机构负责人审核。

对于汇总意见送交报告机关的时间，本条未作规定。考虑到报告机关要对意见进行研究并在报告中反映，并且专项工作报告要在常委会会议举行前20日送交有关专门委员会或办事机构征求意见。因此，汇总意见应在专项工作报告征求意见之前一段时间送交。

二是报告机关应当对送交的意见进行认真研究，并在报告中作出回应。报告机关要深入研究意见提出的背景，针对的问题，区分不同情况作出回复和响应。对于要求了解情况或者因不了解情况而提出的疑问，应当全面、客观说明相关工作情况；对于反映的客观存在的问题，不能回避不理，或者是避重就轻，应当全面、客观分析问题产生的原因、发展过程、影响后果以及已经采取或者将要采取的应对措施及其效果等。对于能够解决的，应当尽快解决并明确说明；对于应该解决但一时难以落实解决措施的问题，应当如实说明情况，并积极研究进一步解决的方案；对于受客观条件限制，确实解决不了的，应当充分说明原因。对于要求纠正执法中的违法行为，或者是工作中的失误的意见，应当认真调查核实，实事求是地处理。对于确属违法或失误的，要严格依法处理，并作出说明。

第十二条　人民政府、人民法院或者人民检察院应当在常务委员会举行会议的二十日前，由其办事机构将专项工作报告送交本级人民代表大会有关专门委员会或者常务委员会有关工作机构征求意见；人民政府、人民法院或者人民检察院对报告修改后，在常务委员会举行会议的十日前送交常务委员会。

常务委员会办事机构应当在常务委员会举行会议的七日前，将专项工作报告发给常务委员会组成人员。

【释义】　本条是关于专项工作报告征求意见和提前印发的规定。

专项工作报告稿起草形成后，报告机关的办事机构应当将其送交本级人大专门委员会或常委会工作机构征求意见。全国、省一级和设区的市、自治州人大设立专门委员会，协助常委会开展监督工作。因此，专项工作报告稿要送交有关专门委员会征求意见。县一级人大，不设专门委员会，只设立工作机构，因此专项工作报告稿送交有关工作机构征求意见。专项工作报告的内容没有固定格式，总的来说应根据报告事项的特点来安排考虑。在全国人大常委会会议上所作的专项工作报告，其重点是：(1)有关工作已经取得的主要进展；(2)存在的主要问题和原因分析；(3)改进工作的主要措施。专门委员会或工作机构对专项工作报告稿提出修改意见，主要应当考虑两方面的问题：一是报告稿对常委会办事机构送交的各方面的意见是否作出了回应，回应是否充分。二是报告稿内容是否客观、准确，重点是否突出，问题分析是否深刻等。这对于提高专项工作报告的质量是有很大帮助的。

人大常委会每两个月举一次会议，会期不长，全国人大常委会、省一级人大常委会会期一般不超过一星期，县、市人大常委会的会期则更短一些。为了充分提高会议效率，同时保证审议质量，会前做好充分准备是会议成功的重要因素。会前准备既包括常委会办事机构为会议做好筹备、服务工作，也包括常委会组成人员为会议议题做好发言、审议准备以及工作安排。为便于常委会组成人员做好准备，《全国人民代表大会常务委员会议事规则》规定，常委会举行会议，应当在会议举行7日以前，将开会日期、建议会议讨论的主要事项，通知常委会组成人员;临时召集的会议,可以临时通知。为与此规定相衔接,做好专项工作报告的审议准备,本条规定报告机关应当在会议举行的 10 日前送交常委会。常委会办事机构应当在会议举行的 7 日前,将专项工作报告发给常委会组成人员。常委会听取和审议专项工作报告一般是根据计划进行的,报告机关有较充裕的时间准备,因此按本条规定的时间提前送交常委会是没有问题的。当然,常委会也会临时安排听取一些突发事件的报告。例如,2003 年春天,我国遭遇了突如其来的“非典”袭击,3 月下旬,非典型肺炎开始在一些省、市流行出现,严重威胁人民群众的身体健康和生命安全。在“非典”疫情的严峻形势下,全国人大常委会于 2003 年 4 月 25 日适时听取和审议了国务院关于非典型肺炎防治工作的报告。再有,2004 年 1 月 27 日,我国广西发生首例高致病性禽流感疫情之后,其他地方连续出现新的疫情。2004 年 2 月 26 日,全国人大常委会适时听取了国务院关于全国高致病性禽流感防治工作的报告。这些有关突发事件从发生到向全国人大常委会报告,时间很短,但效果很好。在这种情况下,适用本条有关提前 20 日、10 日的规定会有一定的困难。对此是否可以变通,本条未作规定。根据《全国人民代表大会常务委员会议事规则》关于临时召集的会议,临时通知规定的精神,对于临时安排听取的专项工作报告,可以有相应的安排。

第十三条　专项工作报告由人民政府、人民法院或者人

民检察院的负责人向本级人民代表大会常务委员会报告，人民政府也可以委托有关部门负责人向本级人民代表大会常务委员会报告。

【释义】　本条是关于专项工作报告人的规定。

根据我国的人民代表大会制度，国家行政机关、审判机关和检察机关都由同级人大产生，对它负责，受它监督。“一府两院”向本级人大常委会报告专项工作，是其担当责任、接受监督的重要形式。对于专项工作报告所阐明的政策、措施以及解决相关问题的意见，代表对提交专项工作报告的政府、法院或检察院的意见，以及由此引起的监督后果，如对审议意见进行研究处理、对相关工作进行的整改等，由“一府两院”负责。“一府两院”应当对拟提交的专项工作报告进行认真审定。国务院组织法、地方组织法中均规定，政府工作中的重大问题，须经政府常务会议或者全体会议讨论决定。如果专项工作报告涉及政府工作中的重大决策，应经政府常务会议讨论决定。政府每年向本级人大会议所作的工作报告，一般都经政府全体会议讨论决定。

由谁在常委会会议上作报告，是一个报告形式问题，本条对此规定得比较灵活。一般情况下，应由“一府两院”的负责人作专项工作报告，包括政府的正副首长和法院的正副院长、检察院的正副检察长。如果政府负责人因种种原因不能到会作专项工作报告，可以委托与专项工作报告最为密切的部门负责人作报告。政府各工作部门对本级政府负责并报告工作，不对人大常委会负责并报告工作。因此，其负责人在人大常委会报告工作，应由本级政府委托进行。在这种情况下，虽然是由政府部门的负责人所作的报告，其行为仍然代表政府，后果与政府负责人所作的报告相同。

根据《全国人民代表大会常务委员会议事规则》，常委会全体会议听取各项报告和议案说明。常委会全体会议听取报告后，分组进行审议。省一级的做法与全国人大常委会基本相同。县级常委会组成人员比较少，可以直接在全体会议上进行审议。常委会审议时，报告机关应当派有关负责人到会，听取意见，回答询问。有人提出，人大常委会在审议专项工作报告时，应当进行辩论。其实，当对专项工作报告出现不同意见和看法时，自然会出现争论甚至是辩论，法律中没有必要专门规定组织辩论。

第十四条　常务委员会组成人员对专项工作报告的审议意见交由本级人民政府、人民法院或者人民检察院研究处理。人民政府、人民法院或者人民检察院应当将研究处理情况由其办事机构送交本级人民代表大会有关专门委员会或者常务委员会有关工作机构征求意见后，向常务委员会提出书面报告。常务委员会认为必要时，可以对专项工作报告作出决议；本级人民政府、人民法院或者人民检察院应当在决议规定的期限内，将执行决议的情况向常务委员会报告。

常务委员会听取的专项工作报告及审议意见，人民政府、人民法院或者人民检察院对审议意见研究处理情况或者执行决议情况的报告，向本级人民代表大会代表通报并向社会公布。

【释义】 本条是关于专项工作报告审议意见研究处理的规定。

（一）对专项工作报告的审议意见应当交报告机关研究处理

人大常委会组成人员对各项议案进行审议讨论，目的是要通过相互交流、沟通、影响，形成比较一致的意见，为最后表决提供基础。但人大常委会对专项工作报告，原则上不作决议。在这种情况下，为了表明常委会组成人员对专项工作报告及其相关工作和问题的观点和态度，发挥好听取和审议专项工作报告的作用，督促报告机关改进工作，应当将常委会组成人员的审议意见予以认真整理，送交报告机关研究处理。按照全国人大常委会的有关规定，常委会分组会议发言，由常委会办事机构负责如实记录，力求准确无误，送经发言人校核后编发简报，印发常委会组成人员。常委会办事机构应当在常委会会议结束后的五日内，将会议对专题工作报告和其他有关报告的审议意见，汇总整理成《常委会会议审议意见》。审议意见应当做到真实、全面、准确、鲜明，正确反映出席、列席人员的审议意见，并经有关专门委员会核阅后，由秘书长签发，印送有关机关。《全国人大机关贯彻实施监督法若干意见》要求有关专门委员会、工作委员会督促有关方面进行整改，落实整改建议，改进相关工作，并及时向常委会汇报整改的进展情况。这实际是把整理送交意见的工作程序化，可供各地在执行监督法时参考。

（二）研究处理情况应当反馈

审议意见从性质上来说，不是人大常委会正式通过的文件，不具有法律约束力。但是，审议意见是人大常委会组成人员审议提出的意见和建议，并且经过了较为严格的整理、核阅程序，相当程度上反映了常委会的意见，因此报告机关应当高度重视审议意见，认真研究处理审议意见。对于反映的客观存在的问题，要采取有力措施切实解决；对于合理的建议，要在工作中采纳吸收。为了督促报告机关认真研究处理审议意见，本条设计了反馈机制：一是报告机关应当将研究处理的情况送交专门委员会或工作机构征求意见，专门委员会或工作机构应当对照审议意见，审核报告机关为研究落实审议意见是否提出了切实可行的办法和措施；对没有吸收的意见，是否给予了合理的说明和解释。二是向常委会提出书面报告。报告机关最后形成的处理意见，还应向常委会书面报告。处理情况的书面报告要印发常委会组成人员，直接向常委会组成人员反馈。通过以上两次反馈，使报告机关与人大常委会之间进行充分沟通，推动审议意见的处理。这种处理机制，既不是硬性约束，要求报告机关必须执行；也不是毫无效力，任由报告机关自行处理；而是一种相互沟通协商，尽量吸收审议意见的合理成分，充分体现了中国政治制度的特点。

（三）必要时可以对专项工作报告作出决议

代表大会听取和审议“一府两院”的工作报告后，都要作出决议，表示批准报告，并就有关工作予以强调。常委会听取和审议专项工作报告，一般不作决议，只是在少数情况下才作出决议。这种制度安排上的差别，可以理解为，代表大会是听取“一府两院”全面的工作报告，对过去一年的工作进行总结,新的一年的工作进行安排,需要确定报告的法律效力,作为工作部署安排的依据。而专项工作报告只是对某一方面工作的报告,通常这方面工作已有相关法律、法规,因此一般情况下不需作决议,只有在必要时才需要作出决议。对于必要时如何判断,法律未作规定。目前全国人大常委会也还没有这方面的先例可循。考虑是否有必要就专项工作报告作决议,一是对报告的专项工作是否需要继续加大监督力度,如报告机关对审议意见不予重视,未进行相应的研究处理,常委会组成人员对此不满等;二是报告的事项特别重要,需要由常委会形成决议,表示明确意见,支持报告机关开展工作。常委会作出决议的,报告机关要严格执行决议,按照决议改进工作,并在规定的期限内将执行决议的情况向常委会报告。

(四)听取和审议专项工作报告的情况向代表通报和社会公布

人大常委会行使监督职权的情况向本级人大报告,接受监督。每年常委会向代表大会提交的工作报告,一个重要内容是报告常委会开展监督工作的情况。将常委会听取和审议专项工作报告的情况向代表通报,既是人大常委会接受大会监督的具体体现,又是让代表了解参与常委会监督工作的具体形式。向代表通报的内容包括:专项工作报告、审议意见、审议意见处理情况报告或执行专项工作报告决议情况的报告。通报的形式可向代表印发上述材料,也可以在代表活动中,通过口头形式通报。

人大常委会监督“一府两院”的工作,实行公开的原则,行使监督职权的情况向社会公开，包括会议公开举行，允许新闻报道和公众旁听，监督结果公布等。向社会公布专项工作报告、审议意见、审议意见处理情况报告或执行专项工作报告决议情况的报告，是公开监督原则的重要体现。向社会公布，也就是要求常委会通过公报、报刊、网络等载体，主动予以公开，接受社会监督。

第三章 审查和批准决算，听取和审议国民经济和社会发展计划、预算的执行情况报告，听取和审议审计工作报告

计划和预算监督，是人大常委会监督工作的重要组成部分。根据宪法和有关法律规定，总结实践经验，本章对人大常委会开展计划和预算监督作出了进一步明确和完善，使之重点更加突出，程序更加规范。正确理解和把握本章的各项规定，依法开展计划和预算监督，对于加强人大常委会监督工作，更好地发挥计划和预算在促进经济社会发展方面的职能作用，具有重要意义。

本章共 7 条，规定了人大常委会审查和批准决算、审查计划和预算执行情况报告、审查和批准预算部分调整方案、审查决算和预算执行情况的重点内容、听取和审议审计工作报告、审议意见的处理等。

第十五条　国务院应当在每年六月，将上一年度的中央决算草案提请全国人民代表大会常务委员会审查和批准。

县级以上地方各级人民政府应当在每年六月至九月期间，将上一年度的本级决算草案提请本级人民代表大会常务委员会审查和批准。

决算草案应当按照本级人民代表大会批准的预算所列科目编制，按预算数、调整数或者变更数以及实际执行数分别列出，并作出说明。

【释义】 本条是关于人大常委会审查和批准决算草案的规定。

决算是对财政预算实绩即一个财政年度的岁入岁出所进行的确定性计算。根据宪法的规定，全国人大和地方各级人大审查和批准预算和预算执行情况的报告。审查和批准决算是预算审查批准权的延伸。由于决算的编制赶不上人大的会期，因此，在1994年3月22日八届全国人大二次会议通过预算法之前，人大通常授权本级常委会审查批准决算。

1995年1月1日起施行的预算法第六十二条规定："国务院财政部门编制中央决算草案，报国务院审定后，由国务院提请全国人民代表大会常务委员会审查和批准。""县级以上地方各级政府财政部门编制本级决算草案，报本级政府审查后，由本级政府提请本级人民代表大会常务委员会审查和批准。"由此建立了由全国人大常委会审查批准中央决算和县级以上地方各级人大常委会审查批准本级决算的法律制度。同时，预算法也要求决算草案应当"报送及时"。因此，本条对国务院向全国人大常委会提请审查和批准中央决算草案以及县级以上地方各级政府向本级人大常委会提请审查和批准本级决算草案的时间以及决算草案的编制要求作了规定。

第一,关于国务院提请全国人大常委会审查批准中央决算草案的时间。根据预算法的规定,预算年度自公历1月1日起,至12月31日止。决算草案由各级政府、各部门、各单位,在每一预算年度终了后按照国务院规定的时间编制。各部门对所属各单位的决算草案,应当审核并汇总编制本部门的决算草案,在规定的期限内报本级政府财政部门审核。财政部门应当根据各预算单位的决算草案汇总编制本级政府决算草案,报本级人民政府审定或者审查后,提请本级人大常委会审查和批准。

按照以上情况,中央各预算单位在每年的预算年度终了后即年初开始编制决算草案,然后汇总到财政部审核,财政部再根据各预算单位决算草案汇总编制中央决算草案,然后报国务院审定,国务院审定后再提请全国人大常委会审查批准。根据《全国人民代表大会常务委员会议事规则》的规定,全国人大常委会会议一般每2个月举行一次;有特殊需要的时候,可以临时召集会议。目前,全国人大常委会通常在逢双月下旬召开会议。如果提请4月份召开的常委会会议,因需要提前1个月即在3月份报送财政经济委员会进行初步审查,与人大的会期重叠,时间上比较紧张。因此,多年来的做法也是在每年的6月份提请全国人大常委会审查和批准。监督法在总结实践经验的基础上明确规定,国务院应当在每年6月,将前一年度的中央决算草案提请全国人大常委会审查和批准。

需要注意的是,根据全国人大常委会《关于加强中央预算审查监督的决定》的规定,中央决算草案应在全国人大常委会举行会议审查和批准的1个月前,提交财政经济委员会,由财政经济委员会结合审计工作报告进行初步审查。

第二,关于县级以上地方各级政府提请本级人大常委会审查批准本级决算草案的时间。根据地方组织法的规定,县级以上地方各级人大常委会会议由主任召集,每2个月至少举行一次。由于各地召开常委会会议的时间很不一致,所以监督法只是原则上规定县级以上地方各级政府应当在每年6月至9月期间,将前一年度的本级决算草案提请本级人大常委会审查和批准。至于具体的时间,该级人大常委会可以根据情况规定。

第三,关于编制决算草案的要求。决算草案应当按照本级人大批准的预算所列科目编制,按预算数、调整数或者变更数以及实际执行数分别列出,并作出说明,以便本级人大常委会依法审查和批准。决算草案内容包括一般预算收支、基金预算收支、上年补助收入、调入资金、上年结余收入、下级上解收入、补助下级支出、上解上级支出及财政主要工作完成情况。编制决算草案的总的要求,就是符合法律、行政法规,做到收支数额准确、内容完整、报送及时。

第十六条　国务院和县级以上地方各级人民政府应当在每年六月至九月期间,向本级人民代表大会常务委员会报告本年度上一阶段国民经济和社会发展计划、预算的执行情况。

【释义】 本条是关于政府向本级人大常委会报告国民

经济和社会发展计划、预算执行情况的规定。

所谓国民经济和社会发展计划（以下简称计划），是指一定期间全国或者局部区域经济社会发展的目标、任务、政策措施的安排和部署，包括年度计划和中、长期计划。所谓预算，是指一个预算年度内中央或者地方财政收入和支出活动的基本安排。计划和预算既是宏观调控的重要手段，又是关系国计民生和群众切身利益的重大事项，是经济、社会运行以及政府活动的重要依据，事关全局。人大常委会监督政府的工作，离不开对计划和预算执行情况的监督。因此，宪法明确规定，计划和预算及其执行情况的报告，由人大审查和批准。同时，考虑到计划和预算毕竟是对未来一定时期内的一种工作安排，在实际执行中难免出现客观形势发生变化需要适当调整的情况，而人大会议是一年召开一次，召开临时会议对计划和预算的执行情况以及部分调整进行审查和批准，也是不现实的。所以宪法、地方组织法、预算法还明确规定，人大常委会审查和批准计划和预算的部分调整，审查和批准本级决算等。

因此，对计划和预算执行情况进行监督，是宪法、法律赋予人大常委会的一项重要职权，是人大常委会监督工作的重要组成部分。同时，考虑到人大常委会对计划和预算执行情况的监督职权方面，宪法和有关法律已经作了明确规定，但有关如何开展计划和预算执行情况监督工作的程序，还需要统一规范，所以监督法在总结实践经验的基础上，对人大常委会监督计划和预算的程序，作了较为具体的规定。

根据宪法和有关法律的规定，国务院和县级以上地方各级政府负责执行计划和预算。为了加强计划和预算执行情况的监督,全国人大常委会《关于加强经济工作监督的决定》中规定,国务院应当在 8 月向全国人大常委会报告年度计划的上半年执行情况。预算法第六十九条也规定:“各级政府应当在每一预算年度内至少二次向本级人民代表大会或者其常务委员会作预算执行情况的报告。”

为了加强全国人大常委会和县级以上地方各级人大常委会对计划和预算执行情况的监督,促进国民经济持续、快速、健康发展,依据宪法和有关法律,总结多年来的实践经验,本条进一步规定:“国务院和县级以上地方各级人民政府应当在每年六月至九月期间,向本级人民代表大会常务委员会报告本年度上一阶段国民经济和社会发展计划、预算的执行情况。”按照这一规定,国务院和县级以上地方各级政府应当在规定的时间内向本级人大常委会报告计划和预算执行情况。报告的具体要求是:

第一,关于报告的时间要求。报告的时间是“每年六月至九月期间”。其中,关于计划执行情况的报告时间,按照全国人大常委会《关于加强经济工作监督的决定》的规定,国务院应当在每年的 8 月向全国人大常委会进行报告。如国家发展和改革委员会主任马凯受国务院委托,于 2006 年 8 月 25 日在十届全国人大常委会二十三次会议上作了“关于今年以来国民经济和社会发展计划执行情况的报告”。至于县级以上地方各级政府向本级人大常委会报告的具体时间,可由各地根据情况确定。

关于预算执行情况的报告时间，按照多年来的习惯做法，通常是在政府向本级人大常委会提出上一年度决算草案以及决算报告时，一并提出本年度上一阶段预算执行情况的报告。如财政部部长金人庆受国务院委托，于2005年6月28日在十届全国人大常委会十六次会议上作了“关于2004年中央决算的报告”，其中还报告了2005年前5个月全国财政收支的主要情况。

第二，关于报告的内容要求。报告的内容是“本年度上一阶段国民经济和社会发展计划、预算的执行情况”。其中，关于计划执行情况，报告的内容主要包括：前一阶段国民经济和社会发展的基本情况、存在需要关注的主要情况和问题、做好下一阶段经济社会工作的主要措施和安排。

关于预算执行情况，也称本年度月份预算执行情况，报告的内容主要包括：一般预算收支完成情况、基金预算收支完成情况、主要财政工作完成情况及收支增减变化的主要原因。按照财政部《地方政府向本级人大报告财政预、决算草案和预算执行情况的指导性意见》，县级以上地方各级政府向本级人大常委会报告预算执行情况的具体要求是：报告包括文字和报表两个部分。文字报告应包括主要收支项目和财政主要工作情况，特别应对重点支出项目、上级转移支付项目以及年度预算收支平衡情况进行必要说明；报表应按照财政部《政府预算收支科目》规定的科目报告。一般预算收支和基金预算收支要按本年度月份完成数报告；一般预算收支和基金预算收支要与上年同期完成数和年度调整或变动预算进行比较分析；存在不可比因素时，要调整为可比口径，调整方法与上年预算执行情况报告一致。

第十七条　国民经济和社会发展计划、预算经人民代表大会批准后，在执行过程中需要作部分调整的，国务院和县级以上地方各级人民政府应当将调整方案提请本级人民代表大会常务委员会审查和批准。

严格控制不同预算科目之间的资金调整。预算安排的农业、教育、科技、文化、卫生、社会保障等资金需要调减的，国务院和县级以上地方各级人民政府应当提请本级人民代表大会常务委员会审查和批准。

国务院和县级以上地方各级人民政府有关主管部门应当在本级人民代表大会常务委员会举行会议审查和批准预算调整方案的一个月前，将预算调整初步方案送交本级人民代表大会财政经济委员会进行初步审查，或者送交常务委员会有关工作机构征求意见。

【释义】　本条是关于计划、预算部分调整和预算资金使用要求以及预算调整方案初步审查的规定。

（一）关于计划和预算的部分调整

计划和预算一经人大审查批准后，就具有约束力，政府应当严格执行。但是，计划也好，预算也好，都是对未来一定时期内相关工作的一种安排和部署，在执行过程中难免出现客观形势发生变化，导致计划或者预算难以继续执行或者继续执行会造成严重后果的情况。在这种情况下，如果不经审查批准就可变更，将使经人大审查批准的计划和预算失去严肃性；如果还要经过人大审查批准，就要召开临时会议，十分不便。为此，宪法规定，在全国人大闭会期间，全国人大常委会审查和批准计划和预算在执行过程中所必须作的部分调整方案；地方组织法规定，县级以上地方各级人大常委会根据本级政府的建议，决定对本行政区域内的计划和预算的部分变更。既体现了经人大审查和批准的计划和预算的严肃性，又体现了特殊情况下需要部分调整由人大常委会审查和批准的灵活性。因此，本条第一款对计划和预算的部分调整作了规定。

所谓计划调整，是指经人大审查和批准的计划，在执行过程中因特殊情况需要对计划安排的调控目标和主要任务的部分变更。根据全国人大常委会《关于加强经济工作监督的决定》的规定，在经济运行过程中，全国人大批准的年度计划必须作的部分调整，由国务院提请全国人大常委会审查批准。至于国务院向全国人大常委会提出计划调整方案的时间，一般应当在全国人大常委会举行会议1个月前报送调整方案的议案；如果情况特殊，可以根据具体情况处理。至于县级以上地方各级政府向本级人大常委会提出计划调整方案的时间，可由各地根据情况规定。

所谓预算调整，是指经全国人大批准的中央预算和经县级以上地方各级人大批准的本级预算，在执行中因特殊情况增加支出或者减少收入，使原批准的收支平衡的预算的总支出超过总收入，或者使原批准的预算中举借债务的数额增加的部分变更。预算调整方案由政府财政部门负责具体编制，调整方案应当列明调整的原因、项目、数额、措施及有关说明，经本级政府审定后，提请本级人大常委会审查和批准。根据全国人大常委会《关于加强中央预算审查监督的决定》的规定，因特殊情况必须调整中央预算时，国务院应当编制中央预算调整方案，并于当年7月至9月之间提交全国人大常委会。

计划和预算的调整方案，经过本级人大常委会依法审查和批准后，即取代计划和预算的原有内容，本级政府应当按照调整后的计划和预算执行。

（二）关于预算资金的使用要求

预算经本级人大批准后，具有法律效力，应当严格执行。本级政府财政部门应当及时向本级各部门批复预算，各部门应当及时向所属各单位批复预算，各部门、各单位的预算支出应当按照预算科目执行。因此，本条第二款中明确规定，“严格控制不同预算科目之间的资金调整”。各级政府财政部门必须依照法律、行政法规和国务院财政部门的规定，及时、足额地拨付预算支出资金，加强对预算支出的管理和监督。各级政府、各部门、各单位的支出必须按照预算执行，不得随意调剂使用不同预算科目间的预算资金，因客观情况需要调剂使用的，必须按照规定报经批准。

为了巩固和加强农业在国民经济中的基础地位，促进教育、科技、文化、卫生、社会保障等事业的发展，农业法、教育法等法律、法规明确规定要安排预算资金，保障这些领域的财政投入。如农业法规定，中央和县级以上地方财政每年对农业总投入的增长幅度应当高于其财政经常性收入的增长幅度，县级以上人民政府每年财政预算内安排的各项用于农业的资金应当及时足额拨付；教育法规定，各级人民政府的教育经费支出，按照事权和财权相统一的原则，在财政预算中单独列项；科学技术普及法规定，各级人民政府应当将科普经费列入同级财政预算，逐步提高科普投入水平等。通过财政手段保障农业的发展，对于我们这一个农业人口占绝大多数的国家，具有十分重要的意义；同时，教育、科技、文化、卫生、社会保障等事业的发展，既涉及广大人民群众的切身利益，又关系到国家和民族的长远发展，也需要财政予以保障。为了进一步保证这些领域的财政投入，确保预算安排的资金能够足额到位，不得随意减少，本条第二款中明确规定，“预算安排的农业、教育、科技、文化、卫生、社会保障等资金需要调减的，国务院和县级以上地方各级人民政府应当提请本级人民代表大会常务委员会审查和批准”。因此，预算安排的农业、教育、科技、文化、卫生、社会保障等资金，在预算经过本级人大审查批准以后，必须予以保证，不得随意减少。如果客观情况发生变化，确需调减的，由本级人民政府提请本级人大常委会审查和批准。

（三）关于预算调整方案的初步审查

为了加强中央预算审查监督工作，全国人大常委会《关于加强中央预算审查监督的决定》规定了预算调整方案的初步审查制度，即国务院财政部门应当及时向财政经济委员会和预算工作委员会通报中央预算调整的情况，在常务委员会举行会议审批中央预算调整方案的1个月前，将中央预算调整方案的初步方案提交财政经济委员会，由财政经济委员会进行初步审查。这次制定监督法，考虑到不仅是全国人大常委会要审查和批准预算调整方案，而且县级以上地方各级人大常委会也有此项工作，县级以上地方各级预算的调整方案也应当进行初步审查。因此，本法对中央预算调整方案和地方预算调整方案的初步审查制度一并作了规定，即本条第三款的规定。

根据地方组织法的规定，省、自治区、直辖市、自治州、设区的市的人大根据需要，可以设法制（政法）委员会、财政经济委员会、教育科学文化卫生委员会等专门委员会；县、自治县、不设区的市、市辖区的人大不设专门委员会，而是设相关的工作机构。因此，县一级政府有关主管部门应当在本级人大常委会举行会议审查和批准预算调整方案的1个月前，将预算调整初步方案送交本级人大常务委员会有关工作机构征求意见；县级以上地方各级政府有关主管部门应当在本级人大常委会举行会议审查和批准预算调整方案的1个月前，将预算调整初步方案送交本级人大财政经济委员会进行初步审查。这里的有关主管部门，主要是指财政部门。财政部门应当按照法律的规定，及时向人大财经委或者常委会有关工作机构送交预算调整方案，通报预算调整的有关情况，以便人大财经委员会依法对预算调整方案进行初步审查，或者由常委会有关工作机构研究提出意见。

第十八条　常务委员会对决算草案和预算执行情况报

告，重点审查下列内容：

（一）预算收支平衡情况；

（二）重点支出的安排和资金到位情况；

（三）预算超收收入的安排和使用情况；

（四）部门预算制度建立和执行情况；

（五）向下级财政转移支付情况；

（六）本级人民代表大会关于批准预算的决议的执行情况。

除前款规定外，全国人民代表大会常务委员会还应当重点审查国债余额情况；县级以上地方各级人民代表大会常务委员会还应当重点审查上级财政补助资金的安排和使用情况。

【释义】 本条是关于人大常委会对决算草案和预算执行情况报告重点审查内容的规定。

预算是国家管理社会经济事务、实施宏观调控的主要手段之一，在整个国家的政治经济生活中具有十分重要的地位和作用。预算经过本级人大依照法定程序批准以后，应当严格执行。为了监督预算的执行，预算年度终了要进行决算，审查预算编制是否有不足之处，政府是否违反了预算规定，以便在审批下年度预算时予以防止或者纠正。由于预算具有专业性、复杂性、客观性等特点，为了深化对决算草案和预算执行情况报告的审查，履行好宪法、法律赋予的职责，审查采取全面审查与重点审查相结合的办法，即在全面审查决算草案和预算执行情况的同时，对预算有重要影响的内容作重点审查。

监督法对决算草案和预算执行情况报告重点审查的内容作了规定。

根据本条的规定，人大常委会对决算草案和预算执行情况报告，重点审查下列内容：

第一，预算收支平衡情况。预算应当做到收支平衡，是预算法明确规定的预算原则。所谓预算收支平衡，是指每一预算年度内，预算的支出应当与预算的收入大体相等。预算收支平衡的基本要求是预算支出不应超过预算收入，即不列赤字。根据预算法的规定，中央政府公共预算不列赤字；中央预算中必需的建设性投资的部分资金，可以通过举借国内和国外债务等方法筹措，但是借债应当有合理的规模和结构。地方各级预算按照量入为出、收支平衡的原则编制，不列赤字。保持财政收支平衡，对于保持社会总需求与总供给之间的平衡，促进经济社会持续、快速、协调、健康发展，具有重要意义。因此，预算收支平衡情况是重点审查的内容。

第二，重点支出的安排和资金到位情况。财政资源总是有限的，不可能满足所有的支出需要，必须在统筹兼顾的基础上保证重点支出。因此，统筹兼顾、确保重点，是预算支出编制应当遵循的一项原则。这一原则体现了既要全面照顾，保证各项事业的正常发展，又要适当保证重点，确保重点问题重点解决，以带动整个国民经济和各项事业的发展。预算法明确规定，各级预算支出的编制，应当统筹兼顾、确保重点，在保证政府公共支出合理需要的前提下，妥善安排其他各类预算支出。预算安排的重点支出，应当及时、足额拨付，保证资金到位。因此,重点支出的安排和资金到位时间也是重点审查的内容。

第三,预算超收收入的安排和使用情况。预算是参考上一年预算执行情况和本年度收支预测进行编制的,在实际执行中,可能会出现预算超收的情况,即实际收入超过计划收入。在预算超收的情况下,政府可以多办事以及办原来没有能力办的事情。但是,预算超收收入及其安排和使用,毕竟没有列入年初提请本级人大审查和批准的预算草案内,所以应当加强对预算超收收入使用的监督。按照全国人大常委会《关于加强中央预算审查监督的决定》的规定,中央预算超收收入可以用于弥补中央财政赤字和其他必要的支出。中央预算执行过程中,需要动用超收收入追加支出时,应当编制超收收入使用方案,由国务院财政部门及时向财政经济委员会和预算工作委员会通报情况,国务院应向全国人大常委会作预计超收收入安排使用情况的报告。

第四,部门预算制度建立和执行情况。按照预算法的规定,各级政府预算、决算由本级各部门的预算、决算组成;各部门编制本部门预算、决算草案,组织和监督本部门预算的执行。只有部门预算制度严格、完善,才能保证整个预算科学、规范。但是,在现实生活中,一些部门不严格执行预算的情况时有发生,如不严格执行预算和财政制度,擅自扩大支出范围、提高开支标准,或者不严格按照预算规定的支出用途使用资金等。因此,部门预算制度的建立和执行情况,也是重点审查内容之一。

第五,向下级财政转移支付情况。自20世纪90年代初,我国实行分税制改革,即按照中央与地方政府的事权划分,合理确定各级财政的支出范围;根据事权与财权相结合原则,将税种统一划分为中央税、地方税和中央地方共享税,并建立中央税收和地方税收体系,分设中央与地方两套税务机构分别征管。同时,建立中央财政对地方的税收返还和转移支付制度。所谓转移支付,是指上级政府对下级政府的财政补助,目的是为了平衡地区之间的财力,保证国家有关法律和政策的统一实施,以及提供基本的公共服务。转移支付是财政预算的重要组成部分,涉及不同预算级次的财政收支,领域宽、数量大,近年来规模持续扩大。据统计,2005年中央对地方转移支付、税收返还和体制性补助支出总额已达11484亿元,其中:中央对地方转移支付7341亿元,中央对地方税收返还3757亿元,中央对地方体制性补助386亿元。目前,财政转移支付有一般性财政转移支付、专项财政转移支付、民族优惠政策财政转移支付等。向下级财政转移支付,属于本级预算的支出,也是一项重点审查内容。

第六,本级人大关于批准预算的决议的执行情况。人大审查和批准预算,一般采用决议的形式予以批准。有些预算批准决议,对组织预算收入落实的措施,确保重点支出的资金到位以及执行预算要注意的问题,提出了明确要求,是指导预算执行的重要文件。如2006年3月14日十届全国人大四次会议通过的《第十届全国人民代表大会第四次会议关于2005年中央和地方预算执行情况与2006年中央和地方预算的决议》，批准了 2006 年中央预算，并明确指出，“同意全国人民代表大会财政经济委员会的审查结果报告”。财政经济委员会关于 2005 年中央和地方预算执行情况与 2006 年中央和地方预算草案的审查结果报告中则提出，为更好地完成 2006 年预算，做好财政工作，财政经济委员会提出了进一步完善惠农财税政策措施、加大财税政策对经济增长方式转变的支持力度、增加财政对解决涉及群众切身利益问题的投入、加强预算管理工作、继续深化财税体制改革等建议。因此，本级人大关于批准预算的决议的执行情况也是重点审查的内容。

此外，根据本条第二款的规定，全国人大常委会还应当重点审查国债余额情况；县级以上地方各级人大常委会还应当重点审查上级财政补助资金的安排和使用情况。国债余额是中央财政在以后年度必须偿还的国债价值总额，包括中央财政历年的预算赤字与预算盈余相抵后的赤字累计额、向国际金融组织或者外国政府借款统借统还部分以及经全国人大常委会批准发行的特别国债的累计额。我国从 2006 年开始实行国债余额管理，将原来每年由全国人大审批国债发行规模的做法，改为审批控制国债余额的办法，同时中央不再代地方发债。国债余额直接反映财政收支平衡状况，所以全国人大常委会还应当重点审查国债余额情况。在一些地方，上级财政补助资金是本级财政支出安排的重要来源，特别是在一些边远、经济欠发达地区。目前，一些地方财政在上级财政补助资金的安排和使用方面，也存在一些问题。如地方财政对中央税收返还和补助收入预算编报不完整；部分专项转移支付项目设置交叉重复,分配制度不够完善;多头对下,打乱了正常的级次和渠道,造成各级次支出不真实,不利于管理和监督。因此,县级以上地方各级人大常委会还应当重点审查上级财政补助资金的安排和使用情况。

第十九条　常务委员会每年审查和批准决算的同时,听取和审议本级人民政府提出的审计机关关于上一年度预算执行和其他财政收支的审计工作报告。

【释义】 本条是关于人大常委会听取审计工作报告的规定。

根据宪法和审计法的规定,国家实行审计监督制度。国务院和县级以上地方各级政府设立审计机关。审计机关依照法律规定独立行使审计监督权,不受其他行政机关、社会团体和个人的干涉。国务院各部门和地方各级政府及其各部门的财政收支,国有的金融机构和企业事业组织的财务收支,以及其他依法应当接受审计的财政收支、财务收支,依法接受审计监督。审计机关对依法接受审计的财政收支或者财务收支的真实、合法和效益,进行审计监督。审计机关依据有关财政收支、财务收支的法律、法规和国家其他有关规定进行审计评价,在法定职权范围内作出审计决定。国务院和县级以上地方各级政府应当每年向本级人大常委会提出审计机关对预算执行和其他财政收支的审计工作报告。审计工作报告应当重点报告对预算执行的审计情况;必要时,人大常委会可以对审计工作报告作出决议。国务院和县级以上地方各级政府应当将审计工作报告中指出的问题的纠正情况和处理结果向本级人大常委会报告。全国人大常委会《关于加强中央预算审查监督的决定》也规定，国务院审计部门要按照真实、合法和效益的要求，对中央预算执行情况和部门决算依法进行审计，审计出的问题要限时依法纠正、处理。国务院应当向全国人大常委会提出对中央预算执行和其他财政收支的审计工作报告，必要时，常委会可以对审计工作报告作出决议。本法作了衔接性规定，即本条的规定。

人大常委会在每年审查和批准决算的同时，听取和审议审计工作报告，将审查和批准决算与听取和审议审计工作报告结合起来，使人大常委会对决算草案的审查监督更有力度、更有针对性。同时，根据宪法和法律，审计机关属于行政机关，直接受政府首长领导；但政府要向本级人大常委会提出审计机关关于上一年度预算执行和其他财政收支的审计工作报告。这样的法律制度，有利于维护审计工作的权威性和严肃性，有利于保证经本级人大批准的预算得到严格执行。

根据本法第二十条的规定，人大常委会听取和审议审计工作报告以后，根据常委会组成人员的审议意见，认为必要时，可以对审计工作报告作出决议。人大常委会依照法定程序对审计工作报告作出的决议，本级政府应当认真执行，并在决议规定的期限内，将执行决议的情况，以书面形式向人大常委会报告。

第二十条　常务委员会组成人员对国民经济和社会发展

计划执行情况报告、预算执行情况报告和审计工作报告的审议意见交由本级人民政府研究处理。人民政府应当将研究处理情况向常务委员会提出书面报告。常务委员会认为必要时,可以对审计工作报告作出决议;本级人民政府应当在决议规定的期限内,将执行决议的情况向常务委员会报告。

常务委员会听取的国民经济和社会发展计划执行情况报告、预算执行情况报告和审计工作报告及审议意见,人民政府对审议意见研究处理情况或者执行决议情况的报告,向本级人民代表大会代表通报并向社会公布。

【释义】 本条是关于人大常委会对计划和预算执行情况进行监督的结果的规定。

听取和审议计划执行情况报告、预算执行情况报告和审计工作报告,是人大常委会对计划和预算执行情况进行监督的一种重要形式。常委会全体会议听取本级政府计划和预算主管部门负责人受本级政府委托所作的报告以后,通常采取分组形式进行审议,必要时也可以采取联组形式进行审议。人大常委会审议相关报告时,有关部门和工作机构应当派熟悉情况的相关负责人员到会,听取意见,并根据需要说明情况或者回答询问。根据本条的规定,人大常委会组成人员对计划和预算执行情况报告的审议意见,交由本级政府研究处理。人民政府应当认真研究常委会组成人员的审议意见,并将研究处理的情况,以书面形式向常务委员会提出报告。

人大常委会听取的计划执行情况报告、预算执行情况报告和审计工作报告及常委会组成人员的审议意见,以及本级政府对审议意见研究处理的情况或者执行人大常委会对审计工作报告决议的情况的报告,应当向本级人大代表通报,接受本级人大代表的监督;同时,还要向社会公布,接受广大人民群众的监督。

第二十一条　国民经济和社会发展五年规划经人民代表大会批准后,在实施的中期阶段,人民政府应当将规划实施情况的中期评估报告提请本级人民代表大会常务委员会审议。规划经中期评估需要调整的,人民政府应当将调整方案提请本级人民代表大会常务委员会审查和批准。

【释义】　本条是关于人大常委会对国民经济和社会发展五年规划的中期评估及调整实施监督的规定。

国民经济和社会发展五年规划,是指对今后五年国民经济和社会发展的指导原则和发展目标,包括经济增长、资源环境、社会发展、改革开放、人民生活和民主法制等方面作出全面部署的中期计划。五年规划介于年度计划与十年规划之间,具有承前启后的战略意义,是编制年度计划的重要依据。国民经济和社会发展五年规划,由国务院和县级以上地方各级人民政府提请全国人大和县级以上地方各级人大审查和批准。经人大批准后,规划确定的约束性指标,具有法律效力,应当认真执行。对此,2006 年 3 月 14 日十届全国人大四次会议批准的《中华人民共和国国民经济和社会发展第十一个五年规划纲要》中规定,“本规划确定的约束性指标,具有法律效力,要纳入各地区、各部门经济社会发展综合评价和绩效考核。约束性指标要分解落实到有关部门,其中耕地保有量、单位国内生产总值能源消耗降低、主要污染物排放总量减少等指标要分解落实到各省、自治区、直辖市”。

由于五年规划的时间跨度较长,期间可能会出现一些在规划编制、审查、批准时无法预测的情况,影响规划确定目标的实现。为了维护规划确定的约束性指标的严肃性、权威性,《中华人民共和国国民经济和社会发展第十一个五年规划纲要》中规定,“国务院有关部门要加强对本规划实施情况的跟踪分析,接受全国人民代表大会及其常务委员会对规划实施情况的监督检查”。“在本规划实施的中期阶段,要对规划实施情况进行中期评估。中期评估报告提交全国人民代表大会常务委员会审议。经中期评估需要修订本规划时,报全国人民代表大会常务委员会批准。”本条则进一步明确规定:“国民经济和社会发展五年规划经人民代表大会批准后,在实施的中期阶段,人民政府应当将规划实施情况的中期评估报告提请本级人民代表大会常务委员会审议。规划经中期评估需要调整的,人民政府应当将调整方案提请本级人民代表大会常务委员会审查和批准。”根据这一规定,国民经济和社会发展五年规划中期评估及其调整的具体要求是:

第一,关于五年规划的中期评估。国民经济和社会发展五年规划经人大批准后,本级人民政府有关部门应当加强对规划实施情况的跟踪分析,规划编制部门要在规划实施过程中适时组织开展对规划实施情况的评估,及时发现问题,认真分析产生问题的原因,提出有针对性的对策建议。在实施的中期阶段，由人民政府组织开展对五年规划实施情况的评估，形成五年规划实施情况的中期评估报告。人民政府应当将中期评估报告提请本级人大常委会审议。这里的“中期阶段”，并不是一个绝对的确定日期，而是指五年期间的相对中间时间。

第二，关于五年规划的调整。五年规划经过中期评估需要调整的，人民政府应当及时编制国民经济和社会发展五年规划调整方案，并将调整方案提请本级人大常委会审查和批准。按照全国人大常委会《关于加强经济工作监督的决定》的有关规定，在经济运行过程中，全国人大批准的年度计划、五年计划和长远规划必须作的部分调整，由国务院提请全国人大常委会审查批准。除特殊情况外，国务院应当在全国人大常委会举行会议 1 个月前，将调整方案的议案报送全国人大常委会。经审查批准后，按照调整后的发展目标和计划安排执行。

第三，关于五年规划执行结果与规划不完全一致的问题。随着经济体制改革的不断深化，五年规划中提出的指标，有些已经不是指令性的，而是指导性、预期性的，当然也有少数指标是约束性的。从实践情况看，五年规划的执行结果，往往同人大批准的规划中提出的指标有不同程度的出入，存在不完全一致的现象。这种情况，不应当作为五年规划的调整，不需要报请人大常委会进行审查和批准。

第四章 法律法规实施情况的检查

依据宪法和法律的规定，人大常委会负有保证宪法和法律的遵守和执行的职责。法律、法规实施情况的检查，即通常所说的执法检查，是各级人大常委会将工作监督和法律监督结合起来的一种行之有效的监督形式。通过执法检查，既能发现“一府两院”在执法中存在的问题，可以促进依法行政、公正司法；又能发现法律、法规自身存在的不足，有利于修改完善有关法律、法规。早在20世纪80年代中期，一些地方人大常委会在组织人大代表对法律和法规的执行情况进行视察的过程中，创造性地开展了执法检查活动。全国人大常委会在总结各地经验的基础上，于90年代初期开始组织执法检查。1993年9月，全国人大常委会制定了《关于加强对法律实施情况检查监督的若干规定》，对执法检查的对象、内容，执法检查的组织、执法检查报告的审议、对执法检查中发现的重大的典型违法案件的处理等问题，作出了规定。近年来，各级人大常委会在执法检查方面做了大量工作，一些地方制定了有关执法检查的地方性法规。

本章共6条，总结以往的做法和经验，针对实践中存在的问题，对执法检查作了进一步规范。一是执法检查的内容要突出重点，常委会每年选择若干关系改革发展稳定大局和群众切身利益、社会普遍关注的重大问题，有计划地安排。二是执法检查的组织工作要体现精干、效能的原则。三是对执法检查报告的内容提出了要求。四是强调执法检查要注重实效，“一府两院”对执法检查报告及常委会审议的意见要进行研究处理，提出书面报告，必要时，由委员长会议或者主任会议决定提请常委会审议，或者组织跟踪检查。

第二十二条　各级人民代表大会常务委员会参照本法第九条规定的途径，每年选择若干关系改革发展稳定大局和群众切身利益、社会普遍关注的重大问题，有计划地对有关法律、法规实施情况组织执法检查。

【释义】　本条是对执法检查的主体和内容的规定。

（一）各级人大常委会对法律、法规实施情况进行监督的必要性

法律的生命力在于实施。法律的实施是使法律规范的要求在社会生活中获得实现的活动。如果法律规定不能在社会活动中得到实现，立法目的无法落实，再好的法律也形同虚设。1979 年以来，全国人大及其常委会共通过现行有效法律 220 多件，国务院制定行政法规 700 多件，地方人大及其常委会制定地方性法规 7500 多件。目前，我国以宪法为核心的中国特色社会主义法律体系已初步形成，基本做到了有法可依，过去那种无法可依的状态已经改变，但有法不依、执法不严、违法不究的情况仍然比较突出。由于利益驱动，一些地方、部

门在执法过程中以实用主义态度对待法律规定，对自己有利的便执行，对自己不利的便打折扣，甚至不执行，有的实行“上有政策、下有对策”，少数领导干部法制观念淡薄，不依法办事，习惯于“长官意志”，这些行为损害了法律的统一与尊严，也损害了公民的权利与利益。因此，对法律的实施进行监督，督促执法机关依法行政、公正司法，是当前法制建设必须重点解决的重大问题。

在我国，对法律、法规的实施进行监督的主体，既有党的监督、国家权力机关的监督，也有行政机关及其有关部门以及人民法院和人民检察院的监督，还包括新闻媒体和社会舆论的监督。我国宪法和有关法律规定，各级人大常委会作为国家权力机关，负有保证宪法和法律、法规的遵守和执行的职责。人民政府、人民法院和人民检察院是执法机关，向本级人大及其常委会负责。各级人大及其常委会对法律、法规实施监督是其他监督形式无法替代的，具有十分重要的作用。

（二）执法检查的主体

执法检查作为一种监督形式，首先应当明确监督的主体。根据本法的规定，各级人大常委会对有关法律、法规实施情况组织执法检查，也就是说，各级人大常委会是执法检查的主体。

1993 年全国人大常委会《关于加强对法律实施情况检查监督的若干规定》中提出：“全国人大常委会和全国人大专门委员会对全国人大及其常委会制定的法律和有关法律问题的决议、决定贯彻实施的情况，进行检查监督。”根据这一规定和一些地方的有关规定，全国和地方的执法检查活动分为两个层次，一是常委会组织的执法检查，二是专门委员会组织的执法检查。1999 年 4 月 23 日，九届全国人大常委会第十四次委员长会议通过了《关于改进全国人大常委会执法检查工作的几点意见》，提出执法检查主要由常委会来组织，同时要求各专门委员会要协助常委会做好执法检查工作。此后全国人大常委会的执法检查，均以常委会的名义进行，相关专门委员会和办公厅只负责执法检查的具体组织、协调和服务工作。

在监督法的制定过程中，对于专门委员会是否可以作为独立的执法检查主体，主要有两种意见：一种意见认为监督“一府两院”的任务很艰巨，光靠人大及其常委会是不够的，要充分发挥人大专门委员会的作用。立法法确立地方立法统一审议机制后，客观上为人大其他专门委员会腾出更多精力和时间在执法监督方面发挥作用创造了条件。建议适应这一体制的变化，明确规定专门委员会不仅要协助本级人大常委会开展执法检查，而且可以成为执法检查的主体，自主组织执法检查。另一种意见认为，地方组织法第三十条对专门委员会的职责作了规定：“各专门委员会在本级人大及其常委会领导下，研究、审议和拟订有关议案；对属于本级人大及其常委会职权范围内同本委员会有关的问题，进行调查研究，提出建议。”据此，专门委员会没有独立的监督职权，它只能协助人大及其常委会开展监督工作。在总结以往执法检查工作的经验以及各方面意见的基础上，监督法明确了执法检查的主体为全国人大常委会和县级以上地方各级人大常委会，专门委员会不再单独作为执法检查的主体。

根据监督法，专门委员会虽然不单独组织执法检查，但作为具体组织实施机构，在执法检查中具有重要作用。根据监督法的规定，常委会有关专门委员会或者有关工作机构负责具体组织实施工作。在全国人大常委会一级，执法检查主要由有关专门委员会组织，常委会办公厅负责联系和协调。具体哪一个专门委员会负责哪一部法律的执法检查的组织工作，执法检查计划中应予以明确。例如，全国人大常委会2006年执法检查计划明确提出，节约能源法的执法检查由全国人大财政经济委员会负责组织，固体废物污染环境防治法、水污染防治法的执法检查由环境与资源保护委员会负责组织等。在一些省、市和县人大没有设立相应的专门委员会，则可以由常委会的工作机构负责组织实施。

另外，以往有的地方由主任会议组织执法检查。主任会议负责处理常委会的重要日常工作，工作任务繁重，同时主任会议不代替常委会审议决定属于常委会职权范围内的事情，也不行使属于常委会的监督权，因此不宜由主任会议组织执法检查。

（三）执法检查的内容及选题的确定途径

随着我国社会主义法制建设的不断发展，国家的立法步伐不断加快，人大常委会每年对国家所颁布实施的各种法律都进行一次检查显然是不可能的，而只能按照突出重点、增强实效的原则，有针对性地开展执法检查。吴邦国委员长说："这里的关键就是，人大工作要紧紧围绕党和国家工作的大局、紧紧围绕改革发展稳定中的热点难点问题、紧紧围绕关系人民群众切身利益的问题，集中力量、突出重点、抓住关键，取得党和人民满意的效果。”为此，本条规定，各级人民代表大会常务委员会参照本法第九条规定的途径，每年选择若干关系改革发展稳定大局和群众切身利益、社会普遍关注的重大问题，组织执法检查。

根据本条规定，确定执法检查的选题，一方面要紧紧围绕改革发展稳定大局的重大问题，这是因为我国正处于改革发展稳定的关键时期，涉及改革发展稳定的问题都是事关全局的、根本性的重大问题。作为国家权力机关的各级人大常委会，应当抓住监督的重点。另一方面，确定执法检查的选题，还必须充分注意到群众的切身利益和社会普遍关注的重大问题。各级人民代表大会是直接或间接选举组成的，代表人民的意志管理国家，因此，必须时刻注意倾听人民群众的呼声，关心人民群众的疾苦，全心全意为人民服务。事实上，这两个方面的问题往往是联系在一起的，抓住这些问题进行执法检查，既可以得到人民群众的关心和响应，又可以和地方及有关部门的工作重心相一致，起到督促与支持的作用。

例如，全国人大常委会 2006 年安排了对 11 部法律的实施情况开展七个方面的执法检查。一是围绕党的十六届五中全会提出的建设社会主义新农村的重大历史任务，跟踪检查十届全国人大以来农村土地承包法、土地管理法、农业法执法检查报告以及金融支农和农业政策调研报告所提建议的落实情况。二是围绕党的十六届五中全会提出的大力节约能源资源、加快建设资源节约型社会的目标，检查节约能源法的实施情况。三是围绕党的十六届五中全会提出的加大环境保护力度、加快建设环境友好型社会的要求，跟踪检查十届全国人大以来固体废物污染环境防治法、水污染防治法执法检查报告所提建议的落实情况。四是围绕党的十六届五中全会提出的建设创新型国家的要求，突出全面增强自主创新能力、不断推进产业结构调整等重大指导方针这个主题，检查专利法的实施情况。五是按照党的十六大提出的建设一支政治坚定、业务精通、作风优良、执法公正的司法队伍和十六届五中全会提出的规范司法行为、加强司法监督的具体要求，检查法官法和检察官法的实施情况。六是贯彻中央民族工作会议精神，检查民族区域自治法的实施情况。七是按照中央对新形势下侨务工作的部署，检查归侨侨眷权益保护法的实施情况。

关于执法检查选题的确定途径，监督法规定参照关于专项工作报告议题的确定途径，主要包括：本级人民代表大会代表对人民政府、人民法院和人民检察院工作提出的建议、批评和意见集中反映的问题，本级人民代表大会常务委员会组成人员提出的比较集中的问题，本级人大常委会工作机构在调查研究中发现的突出问题，人民来信来访集中反映的问题以及社会普遍关注的其他问题。上述途径是了解实际情况、发现和反映问题的有效形式。

第二十三条　常务委员会年度执法检查计划，经委员长会议或者主任会议通过，印发常务委员会组成人员并向社会

公布。

常务委员会执法检查工作由本级人民代表大会有关专门委员会或者常务委员会有关工作机构具体组织实施。

【释义】 本条是对执法检查年度计划及其具体组织实施的规定。

（一）制定执法检查年度计划

执法检查是各级人大常委会的经常性工作，每年均要选择若干法律、法规组织执法检查，为此，常委会需要制定执法检查年度计划，对执法检查的选题、时间和组织等预先进行安排。以全国人大常委会为例，制定执法检查年度计划，一般按以下四个步骤进行：

1. 执法检查项目的提出。每年11月底以前，全国人大专门委员会应当向常委会提出下一年度执法检查项目的建议。建议包括计划检查的法律、理由、重点和时间安排等。全国人大代表、国务院及其部门、最高人民法院、最高人民检察院，以及其他国家机关、社会团体、企事业组织，也可以向全国人大常委会书面提出执法检查项目的建议。

近年来，有的地方向市民公开征集意见，请广大群众提建议，确定执法检查的选题，取得了良好的效果。公开征集执法检查选题，有利于克服执法检查选题的主观性，避免执法检查不切合当地实际情况的问题；同时，这一做法也拓宽了人民群众政治参与渠道，体现了人民当家作主，对人大工作能起到促进作用。

2. 执法检查计划的拟定。常委会工作机构收集、汇总专门委员会及其他有关方面关于执法检查的建议后，于每年12月底以前拟出全国人大常委会执法检查计划稿，报分管副秘书长审核后提请秘书长办公会议审定。执法检查计划稿应当明确执法检查的法律、检查的重点、时间安排以及具体负责的专门委员会等事项。执法检查计划稿在提请秘书长会议审定前，常委会工作机构还要与国务院办公厅、最高人民法院和最高人民检察院沟通，听取意见。

为提高执法检查的实效，在制定执法检查计划方面主要应把握两个问题，一是检查的法律不宜过多，要少而精。这些年来，全国人大常委会每年组织的执法检查数量虽然不多，但起到了举一反三的效果，不仅推动了所检查法律及其相关法律的正确实施，而且在增强全社会法律意识和法制观念方面发挥了重要作用。二是检查法律实施要有侧重点。每部法律都涉及很多方面的内容，如果面面俱到进行检查，难以达到效果，因此，应当在每部法律中选择几个问题进行重点检查。

3.通过执法检查计划。执法检查计划稿经秘书长办公会议讨论后，由秘书长提请委员长会议通过，并印发常委会组成人员。同时，办公厅以书面形式将执法检查计划通知国务院办公厅、最高人民法院、最高人民检察院以及各省、自治区、直辖市人大常委会。

对于由委员长会议或主任会议通过执法检查计划，以往有一种意见认为，既然常委会是执法检查的主体，那么委员长会议或主任会议只应对执法检查计划有提议权，而没有决定权。考虑到常委会执法检查计划的性质与立法计划一样，都是常委会对一年开展某一方面工作的设想和规划，这种计划不具有法律效力，在执行的过程中，根据实际需要还可以调整和变动。委员长会议或主任会议作为处理常委会日常工作的机构，由其制定执法检查计划，既可以听取、综合并协调各个专门委员会以及各方面的意见，在程序上也较为便捷。

4. 执法检查计划的公布。根据监督法的规定，执法检查计划通过后，应当向社会公布。向社会公布执法检查计划，便于公众了解执法检查的内容，一是公众可据此向常委会反映相关情况和问题，使常委会在执法检查过程中更具针对性，有利于促进有关部门的工作，从而提高监督工作实效性；二是有利于公众了解人大常委会的工作情况，并对常委会的工作进行监督，从而提高监督工作的民主化。

（二）执法检查的具体组织实施

1. 执法检查具体组织实施的主体

根据监督法的规定，常委会有关专门委员会或者有关工作机构负责具体组织实施工作。在全国人大常委会一级，执法检查主要由有关专门委员会组织，常委会办公厅负责联系和协调。具体哪一个专门委员会负责哪一部法律的执法检查的组织工作，根据职责分工，由执法检查计划予以明确。例如，全国人大常委会2006年执法检查计划明确，节约能源法的执法检查由全国人大财政经济委员会负责组织，固体废物污染环境防治法、水污染防治法由环境与资源保护委员会负责组织等。在一些省、市和县人大没有设立相应的专门委员会，则由常委会的工作机构（通常称工作委员会）负责组织实施。

2. 制定执法检查方案

执法检查方案，是指相关专门委员会或者工作机构根据执法检查年度计划，就其负责组织实施的有关法律、法规的执法检查确定具体的工作方案。执法检查方案应当包括检查的重点内容、检查组组成和分组情况、检查的时间和地点、检查的步骤和方式等内容。为使执法检查方案更加切合实际，相关专门委员会或者工作机构根据工作需要，可以进行前期调研。常委会办事机构（即常委会办公厅或者办公室）应当与各专门委员会或者工作机构加强沟通，对各专门委员会或者工作机构报送的执法检查方案进行统筹协调，尽量避免各执法检查组赴地方的时间过于集中、地点过于重复。

3. 执法检查的工作步骤及主要工作方式

根据全国人大常委会的做法，执法检查组在正式赴地方开展执法检查前，由组长召开一次全体会议，听取有关主管机关法律实施情况的汇报，研究部署执法检查工作。

执法检查组在地方可以通过听取汇报、召开座谈会、个别走访、抽样调查、实地考察等多种形式，了解和掌握法律实施的真实情况，研究法律实施中存在的问题。执法检查组在地方的执法检查结束时，视工作需要，可以向省、自治区、直辖市人大常委会和法律实施的相关部门反馈所了解的情况，但不宜提出结论性的意见。执法检查中发现的具体案件和收到的群众来信，执法检查组应转交常委会办公厅，由办公厅统一转交有关部门依法处理。执法检查组不直接处理执法检查中发现的具体案件和收到的群众来信。

赴地方进行执法检查工作结束后，执法检查组应当再次召开执法检查组全体会议，听取各执法检查小组的汇报，研究向常委会汇报的执法检查报告稿，并就执法检查中发现的问题与有关主管机关交换意见。

需要注意的是，以往在一些执法检查活动中，存在蜻蜓点水、浮光掠影的现象，往往只听执法机关的汇报，只看经过刻意安排布置的、不一定是真实的情况，因此，起不到执法检查应有的作用。为此，今后执法检查组应当深入基层、深入群众、深入实际，采取灵活多样的方式，了解真实情况。例如，可以采取随机抽样法，即对有关法律的实施情况，在不事先通知，被检查单位没有预作安排的情况下，执法检查组深入有关被查单位，直接了解执法的具体情况。这种做法容易发现一些真实的情况，掌握翔实的资料，为实施法律监督提供可靠的依据。再比如，可以在执法检查中重点选择一个或几个单位，进行深入、细致的检查了解。从对解剖“麻雀”之后发现的具体问题、违法事件，进行认真的分析，并由此及彼，进行综合、提炼，找出带有共性的东西，对该法律在整个面上的执行情况作出合乎客观实际、合乎逻辑的分析和评价。此外，还可以采取发放调查问卷的办法，获得有关情况与数据。例如，2005年全国人大常委会对劳动法进行执法检查时，就随机抽取了全国40个城市的2150家企业，发放并回收了3.1万份调查问卷，掌握了宝贵的第一手材料，对于全面客观分析劳动法实施的真正情况具有较高的价值。在执法检查过程中，还可以充分利用新闻媒体进行宣传，比如，邀请电视台、电台、报刊记者参加有关活动并进行报道，通过媒体告知公民检查谁、检查什么等，在报上刊登有关法律及相关法律条文，鼓励广大人民群众来信、来电反映情况，提出意见和建议。实践证明，执法检查过程的公开，对于执法机关及时纠正违法行为、弥补工作的不到位等，具有积极的推动作用。

第二十四条 常务委员会根据年度执法检查计划，按照精干、效能的原则，组织执法检查组。

执法检查组的组成人员，从本级人民代表大会常务委员会组成人员以及本级人民代表大会有关专门委员会组成人员中确定，并可以邀请本级人民代表大会代表参加。

【释义】 本条是对执法检查组的组成人员的规定。

执法检查组的组成应遵循精干、效能的原则。执法检查组到地方进行检查，通常要走访不同的地方、单位，了解情况，发现问题，因此，检查组的组成人员不宜过多，否则不利于提高工作效率；在工作人员的配备上，也要力求精干。检查组到基层时，应切实做到轻车简从，谢绝层层陪同，只请地方安排少量必要人员帮助工作。

关于执法检查组的组成人员，以全国人大为例，执法检查组组长一般由负责联系相关专门委员会的副委员长担任，副组长由相关专门委员会的主任委员或者副主任委员担任，执法检查组的其他成员由负责该项执法检查工作的相关专门委员会从常委会和本专门委员会组成人员中选定。执法检查组赴地方进行执法检查时，根据工作需要可以分成若干执法检查小组。执法检查小组组长一般由相关专门委员会负责同志或者其他组成人员担任，组员由常委会和专门委员会组成人员担任。执法检查小组的工作人员，主要由相关专门委员会办事机构、常委会办事机构的工作人员组成。执法检查组成立后，检查组成员和工作人员要及时学习和掌握有关法律、法规和政策，以及必要的专业知识。

由于执法检查是常委会开展监督工作的一项重要方式，执法检查组还可以吸收本级人大代表参加。通过组织人大代表参加执法检查，可以使代表了解有关法律的实施情况，了解常委会和专门委员会的工作情况；同时也可以提高代表的参政议政能力，更好地发挥代表的作用，使执法检查成为代表闭会期间活动的一项重要载体。人大代表参加执法检查，可以考虑吸收那些具有相关专业知识或对有关法律实施较为关注（如在代表大会上提出相关议案、建议）的代表参加。

实践中，一些地方在执法检查时吸收相关专业及法律方面的专家参加，以便从专业角度对于法律实施的情况及有关问题的成因进行分析、评价。这是一种提高执法检查公众参与程度的方式，具有积极的意义。当然，有关的专家并非执法检查组的成员，他们的工作是协助执法检查组寻找问题所在，从专业角度提供分析意见，并提出法律、法规本身是否存在滞后、不到位或不衔接，以及如何修改、完善的意见等。

第二十五条　全国人民代表大会常务委员会和省、自治

区、直辖市的人民代表大会常务委员会根据需要，可以委托下一级人民代表大会常务委员会对有关法律、法规在本行政区域内的实施情况进行检查。受委托的人民代表大会常务委员会应当将检查情况书面报送上一级人民代表大会常务委员会。

【释义】 本条是对委托执法检查的规定。

常委会执法检查的目的，是为了全面了解本行政区域内某项法律、法规实施的情况。由于我国地域广阔，各地方经济发展不平衡，法律、法规的实施在不同的地方出现的问题各有不同，有些问题带有普遍性，有些问题则因各地具体情况不同而具有特殊性。无论是共性的问题，还是特性的问题，常委会均需要了解和掌握。但常委会和专门委员会的组成人员有限，不可能在全国各地普遍地进行检查，因此，近年来，全国人大常委会在执法检查中，较多地运用委托检查的方式。例如，2005 年、2006 年全国人大常委会对归侨侨眷权益保护法、专利法、劳动法、农业法、安全生产法、律师法等多部法律的实施情况进行检查时，都委托部分省、自治区、直辖市人大常委会对本行政区域内实施该法的情况进行检查，还有的要求部分省、市就有关问题进行专项调研。通过委托检查，全国人大常委会能够更为及时、全面地了解有关法律实施的情况，对于执法检查组向常委会提出有关建议是十分有益的。

根据监督法的规定，采取委托检查的方式仅限于两级，即全国人大常委会可以委托省级人大常委会，省一级人大常委会可以委托设区的市一级的人大常委会进行执法检查。由于市、县的区域较小,市、县两级人大常委会就不应再委托下级进行执法检查。

省级或设区的市一级根据上一级人大常委会的委托进行检查,与本级人大常委会根据年度计划自行进行的执法检查既有联系,也有区别。本级人大常委会自行进行的执法检查,是对本行政区域内法律法规的实施情况进行检查。在根据委托进行执法检查时,不仅要检查本级政府及有关部门或者人民法院、人民检察院的执法情况,还要检查垂直管理部门在本行政区域的执法情况。

第二十六条　执法检查结束后,执法检查组应当及时提出执法检查报告,由委员长会议或者主任会议决定提请常务委员会审议。

执法检查报告包括下列内容:

(一)对所检查的法律、法规实施情况进行评价,提出执法中存在的问题和改进执法工作的建议;

(二)对有关法律、法规提出修改完善的建议。

【释义】　本条是对执法检查报告的规定。

(一)执法检查报告的提出和审议

执法检查结束后,执法检查组要再次召开全体会议,总结实地了解的情况,讨论分析法律实施中存在的问题,并指定专人负责综合各执法检查小组的报告、委托检查的报告,以及有关主管部门的汇报等,撰写执法检查报告稿。

报告稿经执法检查组审定后,由委员长会议或者主任会议决定提请常委会审议。常委会全体会议听取执法检查报告时，由执法检查组组长或副组长报告。常委会分组审议执法检查报告时，有关主管机关和相关专门委员会应当派人到会听取意见、回答问题。必要时，执法检查组可以向常委会会议提供文字、视听等形式的参阅资料。

（二）执法检查报告的内容

针对以往有的执法检查报告不很规范的情况，监督法对执法检查报告的内容作出了规定，提出了要求：

1. 执法检查报告应对所检查的法律、法规实施情况进行评价，提出执法中存在的问题和改进执法工作的建议。这里需要注意几个问题：

第一，对所检查的法律、法规实施情况进行评价，主要是对有关主管机关执法情况的力度、效果等情况进行评价。法律规范的实施情况，既包括社会中的公民和组织遵守法律、法规的情况，也包括国家机关执行法律、法规的情况。在现代社会中，国家负有管理公共事务的广泛权力，多数法律规范必须在国家机关参与下才能在社会生活中得以实现，也就是说，公民、组织依法享有的权利，需要国家机关履行相应职责予以保障。执法检查在了解执法机关工作的同时，也可以了解到公民、组织遵守法律的情况，但执法检查的直接目的不是检查公民、法人的守法情况，而是通过了解这方面的情况，对其成因进行分析。看其是否单纯因公民、法人的法律意识不强造成的，还是存在其他经济、文化或社会原因，现行的管理体制是否合理，有关国家机关的管理和执法是否到位、合理、公正，是否存在管理上的缺位，导致法律规定的公民和社会组织的权利无法保障等。这实际上是从另一个方面考察有关国家机关履行法律规定的职责的情况。这与有关主管机关作为管理者对管理相对人的公民、组织守法情况的检查是不同的。

第二，对执法情况进行评价的标准。对有关主管机关执法情况的评价，应当以执法行为的合法性和合理性作为标准。合法性标准主要包括：(1)被检查机关是否履行了法律规定其应当履行的职责，是否有怠于履行职责的情形；(2)被检查机关是否从事了法律禁止的行为；(3)被检查机关是否行使了法律没有明确赋予的职权或者行使了其他国家机关职权范围内的权力；(4)被检查机关是否按照法定程序行使职权。此外，由于法律在一些事务的管理上赋予行政机关一定的自由裁决权，因此，执法机关的执法是否公正、合理、效率，也是执法检查时应当关注的。

第三，执法检查报告对法律、法规实施情况的评价范围，不仅包括本级机关，还可以包括下级机关的执法情况。执法检查作为人大常委会的一项监督权，主要体现为知情权、督促权。由于人大常委会负有保证法律、法规在本行政区域内实施的职责，因此，执法检查可以对本行政区域内的执法机关(包括由上级垂直领导的机关)的执法情况进行了解和评价，这与人大常委会作出撤职决定的职权应限于对本级人民政府、人民法院和人民检察院是不同的。

第四，执法检查报告应对法律实施情况进行客观、深入和有针对性的评价。以往一些地方的执法检查报告，对执法机关的成绩总结得多,提出的建议和要求往往偏重于对基层单位具体违法案件的纠正;有的执法检查报告就是法律实施主管部门向人大常委会报告的摘要,有的报告甚至干脆由参加执法检查的政府部门代笔;还有的报告对法律实施不力的现象讲得多,但问题的成因讲得少,对有关主管机关在依法履行职责方面存在的问题触动少。上述情况,降低了执法检查的实效。因此,执法检查报告对于法律实施总体情况,包括存在的问题的评价要客观、真实,对影响实施效果的原因要进行深入分析,对改进执法工作的建议要有针对性和较强的可操作性,切忌泛泛而论,这样既可以让有关执法机关遵照整改,也便于以后的跟踪落实和监督检查。

2. 执法检查报告要对有关法律、法规提出修改完善的建议。

对有关法律、法规提出修改完善的建议,是执法检查报告中的一项重要内容。全国人大常委会和具有地方立法权的地方人大常委会,兼有立法权和监督权,执法检查是将这两项重要权力进行有机结合的有效方式。改革开放二十年来,我国的立法工作取得了长足的进步,但目前我国的立法还存在一些问题,如有的法律、法规规定比较原则,可操作性较差;有的法律在实施一段时间后已经不适应社会发展的需要,但又没有及时进行修改;有的法律、法规存在部门利益的倾向,使行政机关的权力与公民的权利的配置失衡;还有的法律、法规存在冲突、打架的现象。目前我国的立法机关十分重视法律的修改工作,将制定新的法律与修改旧的法律摆在同等重要的地位。通过执法检查发现法律、法规本身存在的问题，并结合实际需要提出修改完善的建议，有利于立法机关做好法律、法规的修改工作，同时这也是提高执法检查实效的重要体现。

第二十七条　常务委员会组成人员对执法检查报告的审议意见连同执法检查报告，一并交由本级人民政府、人民法院或者人民检察院研究处理。人民政府、人民法院或者人民检察院应当将研究处理情况由其办事机构送交本级人民代表大会有关专门委员会或者常务委员会有关工作机构征求意见后，向常务委员会提出报告。必要时，由委员长会议或者主任会议决定提请常务委员会审议，或者由常务委员会组织跟踪检查；常务委员会也可以委托本级人民代表大会有关专门委员会或者常务委员会有关工作机构组织跟踪检查。

常务委员会的执法检查报告及审议意见，人民政府、人民法院或者人民检察院对其研究处理情况的报告，向本级人民代表大会代表通报并向社会公布。

【释义】　本条是对落实常委会执法检查报告及审议意见的规定。

（一）常委会执法检查报告和审议意见的落实

人大常委会进行执法检查，最终的目的是督促政府依法行政、督促人民法院和人民检察院公正司法，从而保证法律正确有效地实施。因此，执法检查报告提请常委会审议后，监督工作并没有完结，还需要相关措施保证常委会执法检查报告和审议意见的落实。为此，本条规定了两项制度：

一是,有关执法机关办理和反馈制度。常委会结束后,常委会工作机构应及时将常委会组成人员对执法检查报告的审议意见进行汇总整理,然后将其连同执法检查报告一并送交本级人民政府、人民法院或者人民检察院进行研究处理。对于常委会执法检查报告及审议意见提出的法律实施过程中存在的问题和改进工作的建议等,有关机关必须认真研究处理。人民政府、人民法院或者人民检察院应当将研究处理情况由其办事机构送交本级人大专门委员会或者常委会有关工作机构征求意见后,向常委会提出报告;必要时,可由委员长会议或者主任会议决定提请常委会审议。例如,2005 年 8 月,全国人大常委会对安全生产法执法检查的报告进行了审议。会后,国务院办公厅于 2006 年 4 月转报了国家安全生产监督管理总局“关于落实全国人大常委会执法检查组对安全生产法实施情况意见和建议的报告”。最高人民法院和最高人民检察院于 2006 年 3 月报送了“关于落实全国人大常委会安全生产法执法检查报告,改进审判工作的报告”和“最高人民检察院关于落实安全生产法执法检查报告,改进法律监督工作的报告”。全国人大财经委员会此后对三个反馈报告进行了审议,并提出了研究意见。2006 年 6 月,在十届全国人大常委会第二十二次会议上印发了国务院、最高人民法院和最高人民检察院的书面汇报及财经委员会的研究意见。

二是,跟踪检查制度。跟踪检查是执法检查工作的重要组成部分。本条规定,对于存在的重点问题和突出问题,必要时,常委会可以组织跟踪检查,也可以委托本级人大有关专门委员会或者常委会有关工作机构组织跟踪检查。跟踪检查主要有两种形式：一是紧紧抓住关系党和国家工作的大局和改革发展稳定全局的重点领域，深入持久地开展相关法律、法规的执法检查。二是紧紧抓住重点法律法规，在第一次执法检查后，再次或多次组织执法检查，深入持久地开展跟踪检查，督促"一府两院"解决执法中的问题，力求把法律法规的实施落到实处。十届人大常委会对法律实施情况的跟踪检查十分重视。例如，2003 年，全国人大常委会分别对农村土地承包法、土地管理法和农业法进行了执法检查。2006 年全国人大常委会执法检查计划提出，围绕党的十六届五中全会提出的建设社会主义新农村的重大历史任务，拟对上述三部法律的实施情况进行跟踪检查。重点检查支农长效机制的建立和落实情况，包括农业投入、金融支农、农业技术推广体系建设、土地征占用制度改革和农民权益保障等方面的情况。同时，围绕党的十六届五中全会提出的加大环境保护力度、加快建设环境友好型社会的要求，跟踪检查十届全国人大以来对固体废物污染环境防治法、水污染防治法执法检查报告所提建议的落实情况。

此外，对执法中的一些重点、难点问题，常委会可以将执法检查同其他各种监督手段结合起来，以切实达到监督的目的。对于执法检查中发现的带全局性、倾向性的问题以及需要解决的突出问题，可以采取询问、质询、由"一府两院"作专题工作报告，以及由常委会作出相应的决议、决定的方式，以加强监督的力度。对常委会任命的"一府两院"的人员，经查证有严重违法乱纪情形的，可以决定撤销其职务。

（二）执法检查情况的公开

1. 常委会执法检查的情况要向人大代表通报

根据本条规定，常委会的执法检查报告及审议意见，人民政府、人民法院或者人民检察院对其研究处理情况的报告，应当向本级人大代表通报。这一规定的目的是为了保证人大代表对常委会执法检查情况的了解、知情。人大代表作为国家权力机关的组成人员，履行代表职务需要了解掌握有关情况，以保证在参加人大有关工作和活动时心中有数。为此，在闭会期间，人大常委会的工作机构应当向代表通报常委会会议、常委会重要工作安排和重要活动情况，寄送有关的报告和资料。常委会执法检查的情况亦在向人大代表通报的范围。

2. 常委会执法检查的情况要向社会公布

我国宪法规定，中华人民共和国的一切权力属于人民。人民行使国家权力的机关是全国人民代表大会和地方各级人民代表大会。人民行使国家权力、管理国家事务，不是直接的，而是通过人大及其常委会来行使。公开执法检查的情况，一方面表明人大常委会的监督权来源于人民，是人民管理国家事务的重要体现，应当受到人民群众和社会舆论的监督；另一方面，也可以使人民群众更直接地了解“一府两院”的执法情况，便于广大人民群众进行监督，促进“一府两院”的工作，提高监督工作的实效。

人大常委会公布执法检查报告及审议意见和“一府两院”对其研究处理的报告，可采取在广播、电视、报纸、网络等媒体公布的形式。2005 年 12 月，十届全国人大常委会第十九次会议举行全体会议，听取全国人大常委会执法检查组关于检查劳动法实施情况的报告时，中国人大网对会议进行了现场图文直播。这种即时向社会公开的形式，时效性强，易吸引公众的注意力，是一种效果较好的公开的方式。

第五章 规范性文件的备案审查

加强对规范性文件的备案审查,是维护国家法制统一和尊严、实施依法治国基本方略的重要方面。本章所称“规范性文件”,是指除宪法和法律以外的以下两类文件:一是行政法规、地方性法规、自治条例和单行条例、国务院部门规章、地方政府规章。这些都是我国法的渊源,是我国法律体系的组成部分。二是上述文件以外其他由国家机关制定的决议、决定、命令和司法解释等。这些文件虽然不是我国法的渊源,不是我国法律体系的组成部分,但也都是普遍适用的,涉及公民、法人和其他组织的权利义务,因此,必须加强这对部分规范性文件的备案审查。本章所称的“备案审查”,是指前述两类规范性文件通过公布后,应当在法定期限内报法定机关备案,由接受备案的机关进行分类、存档并根据情况依法对其监督审查的活动。

本章共 6 条,对行政法规、地方性法规、自治条例和单行条例、规章的备案审查作了与立法法相衔接的规定,重点增加规定了对地方人大及其常委会和人民政府发布的其他规范性文件、最高人民法院和最高人民检察院发布的司法解释的备案审查制度。

第二十八条　行政法规、地方性法规、自治条例和单行条例、规章的备案、审查和撤销，依照立法法的有关规定办理。

【释义】　本条是关于行政法规、地方性法规、自治条例和单行条例、规章的备案、审查和撤销的规定。

我国是一个统一的、多民族的单一制国家，在法制上，体现为国家维护法制的统一。同时，我国是一个地域辽阔、人口众多以及地区之间发展不平衡的国家，国家的建设、发展和管理，必须充分发挥地方的作用。为此，宪法规定，“中央和地方的国家机构职权的划分，遵循在中央的统一领导下，充分发挥地方的主动性、积极性的原则”。这一原则体现在立法体制上，就是实行统一而又分层次的立法体制。

根据宪法以及立法法、地方组织法等法律的规定，统一而又分层次的立法体制的具体内容是：(1)全国人大和全国人大常委会行使国家立法权，制定法律；(2)国务院根据宪法和法律，制定行政法规；(3)省、自治区、直辖市的人大及其常委会根据本行政区域的具体情况和实际需要，在不同宪法、法律、行政法规相抵触的前提下，可以制定地方性法规；省、自治区人民政府所在地的市、经济特区所在地的市和经国务院批准的较大的市的人大及其常委会，根据本市的具体情况和实际需要，在不同宪法、法律、行政法规和本省、自治区的地方性法规相抵触的前提下，可以制定地方性法规，报省、自治区的人大常委会批准后施行；(4)民族自治地方的人大有权依照当地民族的政治、经济和文化的特点，制定自治条例和单行条例，报上级人大常委会批准后生效；(5)国务院各部、各委员会、中国人民银行、审计署和具有行政管理职能的直属机构，可以根据法律和国务院的行政法规、决定、命令，在本部门的权限范围内，制定规章；省、自治区、直辖市和较大的市的人民政府，可以根据法律、行政法规和本省、自治区、直辖市的地方性法规，制定规章。

为了确保多层次的立法活动符合法制统一的要求，即一切法律、行政法规和地方性法规都不得同宪法相抵触，下位法不得同上位法相抵触，同阶位的法律规范应当保持协调和谐，国家实行立法监督制度。备案审查是实施立法监督，维护法制统一的重要手段。为了使备案审查切实有效、有序运行，立法法根据宪法作了比较全面的规定。本法在立法法的基础上，根据在新的形势下维护法制统一的需要，对规范性文件备案审查作了一些新的规定，主要是扩大了规范性文件备案审查的范围：一是将司法解释纳入到全国人大常委会备案审查的范围，并参照立法法，对备案审查的程序作了相应规定。二是将地方各级人大及其常委会通过的决议、决定和地方各级人民政府发布的决定、命令纳入县级以上地方各级人大常委会备案审查的范围，并授权省级人大常委会参照立法法，对备案审查程序作出规定。

地方各级人大及其常委会的决议、决定以及县级以上地方人民政府的决定、命令，最高人民法院、最高人民检察院作出的属于审判、检察工作中具体应用法律的解释，这些文件虽然不是我国法的渊源，不是我国法律体系的组成部分，制定机关和具体称谓也不相同，但从性质上说，都属于为贯彻实施宪法、法律、法规以及履行工作职责而形成的文件。从这些文件的内容看，大多涉及公民、法人和其他组织的权利和义务，并且在所辖区域普遍适用，有一定的约束力和强制性，所以，其内容是否合法，是否适当，对于宪法和法律的实施，对于群众的切身利益，关系极大。因此，为了维护国家的法制统一，需要将这些文件纳入备案审查监督范围，对其备案审查问题作出规定。

根据宪法和有关法律的规定，备案审查制度主要包括备案、审查以及纠正三方面的内容。备案就是规范性文件的制定机关在法定的时间内将规范性文件报送法定的机关进行备案；审查就是接受备案的机关根据法定权限对备案的规范性文件的合宪性、合法性或者适当性进行审查；纠正就是法定的机关依照规定的程序对备案的同宪法、法律、法规相抵触的规范性文件予以改变或者撤销。

备案审查作为立法监督，接受规范性文件备案的机关，有权对备案的规范性文件依法开展审查工作。审查可以分为主动审查和被动审查。所谓主动审查，是指审查机关在没有任何国家机关和社会公众提出审查要求或者审查建议的情况下，主动对报送备案的规范性文件进行审查，发现规范性文件与宪法、法律相抵触时，依照规定程序进行纠正的情形。所谓被动审查，是指因有关国家机关或者社会公众提出审查要求或者审查建议，审查机关才开展对报送备案的规范性文件进行审查的工作，发现规范性文件与宪法、法律相抵触时，依照规定程序进行纠正的情形。

立法法对被动审查作了规定，即国务院、中央军事委员会、最高人民法院、最高人民检察院、省级人大常委会以及其他国家机关、社会团体、企业事业组织、公民认为行政法规、地方性法规、自治条例和单行条例同宪法或者法律相抵触的，可以向全国人大常委会书面提出审查要求或者审查建议，由有关的专门委员会进行审查、提出意见。全国人大常委会委员长会议制定的《行政法规、地方性法规、自治条例和单行条例、经济特区法规备案审查工作程序》也明确规定，报送备案的法规由全国人大常委会办公厅负责接收、登记、存档；同时，按照全国人大各专门委员会和常委会工作机构的职责分工，将报送备案的法规分送有关专门委员会、法制工作委员会。专门委员会认为备案的法规同宪法或者法律相抵触的，可以主动进行审查，会同法制工作委员会提出书面审查意见，依照规定的程序处理；法制工作委员会认为备案的法规同宪法或者法律相抵触，需要主动进行审查的，可以提出书面建议，报秘书长同意后，送有关专门委员会进行审查。

主动审查与被动审查是审查机关开展审查工作的两种具体方式。从实际情况来说，由于报送备案的规范性文件数量很大，而且不同文件之间千差万别，所涉及的社会关系纷繁复杂，接受备案的机关很难组织足够的力量，逐件逐条地进行审查，而且有些规定是否与宪法、法律相抵触，只有通过实施才能暴露出来，所以审查工作要把主动审查和被动审查结合起来。

根据本条的规定，行政法规、地方性法规、自治条例和单行条例、规章的备案、审查和撤销，依照立法法的有关规定办理：

第一，关于行政法规、地方性法规、自治条例和单行条例、规章的备案。备案是立法监督制度的一个重要环节，是备案机关行使立法监督权的基础。根据立法法的规定，行政法规、地方性法规、自治条例和单行条例、规章应当在公布后的 30 日内依照规定报有关机关备案。具体要求是：(1)行政法规报全国人大常委会备案；(2)省、自治区、直辖市的人大及其常委会制定的地方性法规，报全国人大常委会和国务院备案；较大的市的人大及其常委会制定的地方性法规，由省、自治区的人大常委会报全国人大常委会和国务院备案；(3)自治州、自治县制定的自治条例和单行条例，由省、自治区、直辖市的人大常委会报全国人大常委会和国务院备案；(4)部门规章和地方政府规章报国务院备案；地方政府规章应当同时报本级人大常委会备案；较大的市的人民政府制定的规章应当同时报省、自治区的人大常委会和人民政府备案；(5)根据授权制定的法规应当报授权决定规定的机关备案。

按照全国人大常委会委员长会议制定的《行政法规、地方性法规、自治条例和单行条例、经济特区法规备案审查工作程序》的规定，行政法规、地方性法规、自治条例和单行条例、经济特区法规，应当自公布之日起 30 日内报送全国人大常委会备案。行政法规由国务院办公厅负责报送；地方性法规、自治条例和单行条例，由各省、自治区、直辖市人大常委会办公厅负责报送；经济特区法规由制定机关办公厅(室)负责报送。

备案内容包括：备案报告、国务院令或者公告、有关修改、废止或者批准的决定、法规文本、说明及审议结果报告等有关文件，装订成册，一式十份。报送备案的法规由全国人大常委会办公厅负责接收、登记、存档。

按照2001年12月14日国务院令第337号发布的《法规规章备案条例》的规定，地方性法规、经济特区法规、自治条例和单行条例、部门规章和地方政府规章公布后，应当自公布之日起30日内，依照下列规定报送备案：地方性法规、自治条例和单行条例由省、自治区、直辖市的人大常委会报国务院备案；部门规章由国务院部门报国务院备案，两个或者两个以上部门联合制定的规章，由主办的部门报国务院备案；省、自治区、直辖市人民政府规章由省、自治区、直辖市人民政府报国务院备案；较大的市的人民政府规章由较大的市的人民政府报国务院备案，同时报省、自治区人民政府备案；经济特区法规由经济特区所在地的省、市的人大常委会报国务院备案。国务院法制机构负责国务院的法规、规章备案工作，履行备案审查监督职责。报送法规备案，按照全国人大常委会关于法规备案的有关规定执行；报送规章备案，应当提交备案报告、规章文本和说明，并按照规定的格式装订成册，一式十份。报送法规、规章备案，具备条件的，应当同时报送法规、规章的电子文本。报送法规、规章备案，符合法定权限和程序规定的，国务院法制机构予以备案登记；不符合法定权限和程序规定的，不予备案登记；符合法定权限和程序但不符合形式要求的，暂缓办理备案登记；暂缓办理备案登记的，由国务院法制机构通知制定机关补充报送备案或者重新报送备案;补充或者重新报送备案符合规定的,予以备案登记。

第二,关于对行政法规、地方性法规、自治条例和单行条例、规章的审查。审查与备案一样,都属于立法监督范畴,是立法监督工作中的两个环节和两种具体制度。根据立法法的规定,行政法规、地方性法规、自治条例和单行条例的审查启动程序有两种:一是特定机关提出审查要求。国务院、中央军事委员会、最高人民法院、最高人民检察院和各省、自治区、直辖市的人大常委会认为行政法规、地方性法规、自治条例和单行条例同宪法或者法律相抵触的,可以向全国人大常委会书面提出进行审查的要求。对于上述特定机关提出的审查要求,有关的专门委员会应当进行审查、提出意见,即直接进入审查程序。二是公民、组织提出审查建议,即前述以外的其他国家机关和社会团体、企业事业组织以及公民认为行政法规、地方性法规、自治条例和单行条例同宪法或者法律相抵触的,可以向全国人大常委会书面提出进行审查的建议。对于审查建议,不能直接进入审查程序。而是先由全国人大常委会工作机构即法制工作委员会进行研究,必要时,才进入审查程序,即送有关的专门委员会进行审查、提出意见。

专门委员会在审查中认为行政法规、地方性法规、自治条例和单行条例同宪法或者法律相抵触的,可以向制定机关提出书面审查意见;也可以由法律委员会与有关的专门委员会召开联合审查会议,要求制定机关到会说明情况,再向制定机关提出书面审查意见。制定机关应当在两个月内研究提出是否修改的意见,并向全国人大法律委员会和有关的专门委员会反馈。

按照《法规规章备案条例》的规定,国家机关、社会团体、企业事业组织、公民认为地方性法规同行政法规相抵触的,或者认为规章以及国务院各部门、省、自治区、直辖市和较大的市的人民政府发布的其他具有普遍约束力的行政决定、命令同法律、行政法规相抵触的,可以向国务院书面提出审查建议,由国务院法制机构研究并提出处理意见,按照规定程序处理。国务院法制机构对报送国务院备案的法规、规章,就下列事项进行审查:是否超越权限;下位法是否违反上位法的规定;地方性法规与部门规章之间或者不同规章之间对同一事项的规定不一致,是否应当改变或者撤销一方的或者双方的规定;规章的规定是否适当;是否违背法定程序。国务院法制机构审查法规、规章时,认为需要有关的国务院部门或者地方人民政府提出意见的,有关的机关应当在规定期限内回复;认为需要法规、规章的制定机关说明有关情况的,有关的制定机关应当在规定期限内予以说明。

第三,关于行政法规、地方性法规、自治条例和单行条例、规章的撤销。撤销是指终止行政法规、地方性法规、自治条例和单行条例、规章效力的一种特定法律行为。根据立法法的规定,行政法规、地方性法规、自治条例和单行条例、规章有下列情形之一的,由有权机关依法予以改变或者撤销:超越权限的;下位法违反上位法规定的;规章之间对同一事项的规定不一致,经裁决应当改变或者撤销一方的规定的;规章的规定被认为不适当，应当予以改变或者撤销的；违背法定程序的。

改变或者撤销行政法规、地方性法规、自治条例和单行条例、规章的权限是：全国人大常委会有权撤销同宪法和法律相抵触的行政法规，有权撤销同宪法、法律和行政法规相抵触的地方性法规，有权撤销省、自治区、直辖市的人大常委会批准的违背宪法和立法法第六十六条第二款规定的自治条例和单行条例；国务院有权改变或者撤销不适当的部门规章和地方政府规章；省、自治区、直辖市的人大有权改变或者撤销它的常委会制定和批准的不适当的地方性法规；地方人大常委会有权撤销本级人民政府制定的不适当的规章；省、自治区的人民政府有权改变或者撤销下一级人民政府制定的不适当的规章；授权机关有权撤销被授权机关制定的超越授权范围或者违背授权目的的法规，必要时可以撤销授权。

撤销行政法规、地方性法规、自治条例和单行条例的具体工作程序是：全国人大法律委员会和有关的专门委员会审查认为行政法规、地方性法规、自治条例和单行条例同宪法或者法律相抵触而制定机关不予修改的，可以向委员长会议提出书面审查意见和予以撤销的议案，由委员长会议决定是否提请全国人大常委会会议审议决定。撤销规章的具体工作程序是：国务院法制机构经审查认为规章存在超越权限，违反法律、行政法规的规定，或者其规定有不适当的情形的，建议制定机关自行纠正，或者提出处理意见报国务院决定，并通知制定机关。

第二十九条　县级以上地方各级人民代表大会常务委员会审查、撤销下一级人民代表大会及其常务委员会作出的不适当的决议、决定和本级人民政府发布的不适当的决定、命令的程序，由省、自治区、直辖市的人民代表大会常务委员会参照立法法的有关规定，作出具体规定。

【释义】　本条是关于法规以外由人大和政府制定的其他规范性文件备案、审查和撤销的规定。

我国宪法第一百零四条中规定，县级以上的地方各级人大常委会有权撤销本级人民政府的不适当的决定和命令，撤销下一级人大的不适当的决议。地方组织法第四十四条关于县级以上地方各级人大常委会的职权，作了与宪法相同的规定。

因此，撤销下一级人大及其常委会作出的不适当的决议、决定和本级人民政府发布的不适当的决定、命令，是宪法和地方组织法明确规定的县级以上地方各级人大常委会的一项重要监督职权。为了履行该职权，一些地方已经通过制定地方性法规等形式，建立了相应的规范性文件备案审查的制度。如2003年9月27日河南省十届人大常委会五次会议通过了《河南省人民代表大会常务委员会规范性文件备案办法》，对规范性文件的备案、审查、撤销作了具体的规定。根据该办法，规范性文件是指省人民政府、省高级人民法院、省人民检察院、各省辖市人大及其常委会制定的规范公民、法人和其他组织行为的、具有普遍约束力的文件。又如，2006年5月26日四川省十届人大常委会二十一次会议通过了《四川省人民代表大会常务委员会关于规章及规范性文件备案审查的规定》,对规章和规范性文件的备案、审查、撤销作了规定。根据该规定,规范性文件是指四川省人民政府、四川省高级人民法院和四川省人民检察院制定或者参与制定的涉及公民、法人或者其他组织权利和义务并具有普遍约束力的文件,以及市、州人大及其常委会作出的决议、决定和规定。

鉴于立法法只是对行政法规、地方性法规、自治条例和单行条例、规章的备案、审查和撤销作了规定,其他法律也没有对县级以上地方各级人大常委会审查、撤销下一级人大及其常委会作出的不适当的决议、决定和本级人民政府发布的不适当的决定、命令作出具体规定,所以监督法有必要将地方人大及其常委会以及人民政府的规范性文件纳入备案审查的范围。

省级以下地方人大及其常委会和县级以上地方各级政府制定的规范性文件,数量大、范围广,各地情况不同,备案审查的力量和做法也不同,全国人大常委会不好统一作出规定。为了使各地因地制宜,根据当地情况作出有针对性的规定,本条授权省级人大常委会对县级以上地方各级人大常委会审查、撤销下一级人大及其常委会作出的不适当的决议、决定和本级人民政府发布的不适当的决定、命令的程序作出规定。

省、自治区、直辖市的人大常委会根据本条的授权,对审查、撤销程序作出规定,包含两部分内容:一是要规定本省(区、市)县级以上地方各级人大常委会对其下一级人大及其常委会作出的决议、决定的备案审查程序。二是要规定本省(区、市)县级以上地方各级人大常委会对其本级人民政府发布的决定、命令的备案审查程序。

省、自治区、直辖市人大常委会在规定审查、撤销规范性文件的程序时,应当参照立法法的有关规定。立法法对行政法规、地方性法规、自治条例和单行条例、规章的备案、审查和撤销作了明确的规定,省、自治区、直辖市人大常委会应当参照立法法的相关规定,如备案的时间、审查的程序、撤销的条件等,对县级以上地方各级人大常委会审查、撤销下一级人大及其常委会作出的不适当的决议、决定和本级人民政府发布的不适当的决定、命令的程序,作出具体规定。

第三十条　县级以上地方各级人民代表大会常务委员会对下一级人民代表大会及其常务委员会作出的决议、决定和本级人民政府发布的决定、命令,经审查,认为有下列不适当的情形之一的,有权予以撤销:

(一)超越法定权限,限制或者剥夺公民、法人和其他组织的合法权利,或者增加公民、法人和其他组织的义务的;

(二)同法律、法规规定相抵触的;

(三)有其他不适当的情形,应当予以撤销的。

【释义】　本条是关于撤销省级以下地方人大及其常委会以及县级以上地方各级政府制定的规范性文件的标准的规定。

县级以上地方各级人大常委会经过审查,认为下一级人大及其常委会作出的决议、决定和本级人民政府发布的决定、命令,具有依法应当撤销情形的,应当依法予以撤销。

根据本条的规定，撤销省级以下地方人大及其常委会以及县级以上地方各级政府制定的规范性文件的标准是：

第一，超越权限，限制或者剥夺公民、法人和其他组织的合法权益，或者增加公民、法人和其他组织的义务的。所谓超越权限，是指制定机关违反法定职权，对不属于自己职权范围内的事项作出规定。所谓限制或者剥夺公民、法人和其他组织的合法权益，是指地方人大及其常委会作出的决议、决定或者地方政府发布的决定、命令，对公民、法人和其他组织依照法律、行政法规、地方性法规的规定所享有的权利，予以限制或者取消。所谓增加公民、法人和其他组织的义务，是指地方人大及其常委会作出的决议、决定或者地方政府发布的决定、命令，在法律、行政法规、地方性法规的规定之外，额外规定公民、法人和其他组织应当承担的义务。立法法对立法权限作了明确规定，如第八条规定："下列事项只能制定法律：（一）国家主权的事项；（二）各级人民代表大会、人民政府、人民法院和人民检察院的产生、组织和职权；（三）民族区域自治制度、特别行政区制度、基层群众自治制度；（四）犯罪和刑罚；（五）对公民政治权利的剥夺、限制人身自由的强制措施和处罚；（六）对非国有财产的征收；（七）民事基本制度；（八）基本经济制度以及财政、税收、海关、金融和外贸的基本制度；（九）诉讼和仲裁制度；（十）必须由全国人民代表大会及其常务委员会制定法律的其他事项。"第五十六条第二款规定："行政法规可以就下列事项作出规定：（一）为执行法律的规定需要制定行政法规的事项；（二）宪法第八十九条规定的国务院行政管理职权的事项。”第六十四条规定:“地方性法规可以就下列事项作出规定:(一)为执行法律、行政法规的规定,需要根据本行政区域的实际情况作具体规定的事项;(二)属于地方性事务需要制定地方性法规的事项。”第七十三条第二款规定:“地方政府规章可以就下列事项作出规定:(一)为执行法律、行政法规、地方性法规的规定需要制定规章的事项;(二)属于本行政区域的具体行政管理事项。”地方各级人民代表大会及其常务委员会作出决议、决定和地方各级人民政府发布决定、命令,必须严格遵守立法法的上述规定。如果地方人大及其常委会和地方政府超越权限,在作出的决议、决定和发布的决定、命令中,限制或者剥夺公民、法人和其他组织的合法权益,或者增加公民、法人和其他组织的义务的,县级以上地方人民代表大会常务委员会应当依法予以撤销。

第二,同法律、法规规定相抵触的。关于什么是抵触?法律没有明确规定。根据有关法律规定和实践情况,以下几种情况应当属于“抵触”:(一)上位法有明确的规定,与上位法的规定相反的;(二)虽然不与上位法的规定相反,但旨在抵消上位法的规定的,即搞“上有政策下有对策的”;(三)上位法没有明确规定,与上位法的立法目的和立法精神相反的;(四)违反了立法法关于立法权限的规定,越权立法的;(五)下位法超出上位法规定的处罚的种类和幅度的。符合上述五项中任何一项,都可以认为是与上位法相抵触。[①]

---

① 张春生主编:《中华人民共和国立法法释义》,法律出版社 2000 年版,第 249 页。

行政许可法对行政许可的设定，作了明确的规定：依法可以设定行政许可的事项，法律可以设定行政许可；尚未制定法律的，行政法规可以设定行政许可；尚未制定法律、行政法规的，地方性法规可以设定行政许可；尚未制定法律、行政法规和地方性法规的，因行政管理的需要，确需立即实施行政许可的，省、自治区、直辖市人民政府规章可以设定临时性的行政许可；其他规范性文件一律不得设定行政许可。如果省级以下的人民政府违反上述规定，通过发布决定、命令设定行政许可的，应当认为属于抵触，其同级人大常委会经审查认定的，应当依法予以撤销。

第三，有其他不适当的情形，应当予以撤销的。这是一项概括性的规定，也称兜底条款，是指除了前述规定的两种撤销情形以外的其他应当予以撤销的情形。

第三十一条　最高人民法院、最高人民检察院作出的属于审判、检察工作中具体应用法律的解释，应当自公布之日起三十日内报全国人民代表大会常务委员会备案。

【释义】　本条是关于最高人民法院、最高人民检察院作出司法解释向全国人大常委会备案的规定。

司法解释是指最高人民法院、最高人民检察院作出的属于审判、检察工作中具体应用法律的解释。早在五十年代，一届全国人大常委会十七次会议于 1955 年 6 月 23 日通过的《全国人民代表大会常务委员会关于解释法律问题的决议》，就曾对司法解释的问题作出过规定，即“凡关于审判过程中如何具体应用法律、法令的问题，由最高人民法院审判委员会进行解释”。1981年6月10日五届全国人大常委会十九次会议通过的《全国人民代表大会常务委员会关于加强法律解释工作的决议》，进一步明确规定：“凡属于法院审判工作中具体应用法律、法令的问题，由最高人民法院进行解释。凡属于检察院检察工作中具体应用法律、法令的问题，由最高人民检察院进行解释。最高人民法院和最高人民检察院的解释如果有原则性的分歧，报请全国人民代表大会常务委员会解释或决定。”此外，人民法院组织法第三十三条也规定：“最高人民法院对于在审判过程中如何具体应用法律、法令的问题，进行解释。”依据上述规定，多年来，最高人民法院和最高人民检察院根据审判、检察工作中具体应用法律的需要，或者单独，或者联合，作出了大量的司法解释，为各级人民法院和人民检察院在审判、检察工作中正确理解和准确适用法律提供了依据。同时，为了明确司法解释的性质，最高人民法院和最高人民检察院都明确规定：“司法解释具有法律效力。”最高人民法院还规定，“司法解释与有关法律规定一并作为人民法院判决或者裁定的依据时，应当在司法文书中援引”；“援引司法解释作为判决或者裁定的依据，应当先引用适用的法律条款，再引用适用的司法解释条款”。此外，为了规范司法解释工作，最高人民法院和最高人民检察院还分别制定了专门的规定，如最高人民法院于1997年6月23日以法发〔1997〕15号文发布《最高人民法院关于司法解释工作的若干规定》。

但是，目前司法解释也存在一些问题，如对有的法律规定的应用，最高人民法院和最高人民检察院所作的解释不同，在基层执法工作各自执行不同的司法解释；有的司法解释已经超越了对属于审判、检察工作中具体应用法律进行解释的范围，对本应由立法机关制定法律或者作出法律解释的事项进行了解释；有的司法解释不符合立法原意，甚至违背立法原意等。此外，司法解释的内容和形式也存在不够规范的现象，如对同一问题作多次解释，而且内容上也不尽一致；有的司法解释在名称中有解释字样，有的司法解释则为通知、答复、批复等。对此，包括全国人大代表、全国政协委员、法学专家、法律实务工作者等，纷纷提出意见，建议全国人大常委会加强对司法解释的监督，建立司法解释备案审查制度，维护国家法制的统一。中央关于司法体制改革的精神，也要求司法解释接受全国人大常委会的监督。2005 年 12 月 16 日，十届全国人大常委会第四十次委员长会议专门通过了《司法解释备案审查工作程序》，明确要求最高人民法院、最高人民检察院制定的司法解释，应当报送全国人大常委会备案，开始了我国司法解释的备案审查工作。监督法则正式以法律的形式，对司法解释的备案审查作了规定。

根据本条规定，最高人民法院、最高人民检察院作出的属于审判、检察工作中具体应用法律的解释，应当自公布之日起 30 日内报全国人民代表大会常务委员会备案。按照《司法解释备案审查工作程序》的规定，司法解释分别由最高人民法院办公厅、最高人民检察院办公厅负责报送。最高人民法院、最高人民检察院共同制定的司法解释，由主要起草单位负责报送。司法解释备案内容包括：备案报告、公告、司法解释文本等有关文件，装订成册，一式十份。报送备案的司法解释，由全国人大常委会办公厅负责接收、登记、存档，并分送内务司法委员会、法制工作委员会。每年1月底前，各报送机关应当将上一年度制定的司法解释的目录报送全国人大常委会办公厅备查。

第三十二条　国务院、中央军事委员会和省、自治区、直辖市的人民代表大会常务委员会认为最高人民法院、最高人民检察院作出的具体应用法律的解释同法律规定相抵触的，最高人民法院、最高人民检察院之间认为对方作出的具体应用法律的解释同法律规定相抵触的，可以向全国人民代表大会常务委员会书面提出进行审查的要求，由常务委员会工作机构送有关专门委员会进行审查、提出意见。

前款规定以外的其他国家机关和社会团体、企业事业组织以及公民认为最高人民法院、最高人民检察院作出的具体应用法律的解释同法律规定相抵触的，可以向全国人民代表大会常务委员会书面提出进行审查的建议，由常务委员会工作机构进行研究，必要时，送有关专门委员会进行审查、提出意见。

【释义】　本条是关于对司法解释提出审查要求和建议的规定。

（一）关于对司法解释提出审查要求

对司法解释提出审查要求，是一种“要求权”，是正式的审查启动程序。一旦有权机关提出了审查要求，就要进入正式的审查程序，即送有关专门委员会进行审查、提出意见。根据本条第一款的规定，国务院、中央军事委员会和省、自治区、直辖市人大常委会有权对最高人民法院、最高人民检察院作出的司法解释可以提出审查要求，最高人民法院、最高人民检察院可以对对方作出的司法解释提出审查要求。

国务院、中央军事委员会都是中央国家机关，各自的下级机关在工作中发现的问题都会逐级向上提出，所以赋予这些机关对司法解释提出审查要求的权力是必要的。最高人民法院、最高人民检察院既是中央国家机关，又是司法解释的作出机关，对于自己作出的司法解释，如果发现存在同法律规定相抵触的情形，应当及时进行修改或者予以废止，而没有必要向全国人大常委会提出审查要求，所以规定最高人民法院、最高人民检察院认为对方作出的司法解释同法律规定相抵触的，可以向全国人大常委会提出审查要求。省、自治区、直辖市人大常委会是一级地方国家权力机关，履行保证宪法、法律和行政法规在本行政区域内贯彻实施的职责。在以往的工作中，对于宪法、法律、行政法规在本行政区域内贯彻时遇到的具体问题，它们经常向全国人大常委会的工作机构提出，要求予以解答，同时它们又是向全国人大常委会报送法规备案的单位，因此有必要赋予省级人大常委会对司法解释提出审查要求的权力。

提出审查要求，必须是“书面提出”，即必须采用书面的形式，向全国人大常委会提出审查要求。备案机关收到审查要求后,由常委会工作机构分送有关的专门委员会进行审查、提出意见。宪法第七十条规定:“全国人民代表大会设立民族委员会、法律委员会、财政经济委员会、教育科学文化卫生委员会、外事委员会、华侨委员会和其他需要设立的专门委员会。在全国人民代表大会闭会期间,各专门委员会受全国人民代表大会常务委员会的领导。”“各专门委员会在全国人民代表大会和全国人民代表大会常务委员会领导下,研究、审议和拟订有关议案。”全国人民代表大会组织法第三十七条对专门委员会的工作作了具体规定,即各专门委员会的工作包括“审议全国人民代表大会常务委员会交付的被认为同宪法、法律相抵触的国务院的行政法规、决定和命令,国务院各部、各委员会的命令、指示和规章,省、自治区、直辖市的人民代表大会和它的常务委员会的地方性法规和决议,以及省、自治区、直辖市的人民政府的决定、命令和规章,提出报告”;“对属于全国人民代表大会或者全国人民代表大会常务委员会职权范围内同本委员会有关的问题,进行调查研究,提出建议”等。立法法也明确规定了对行政法规、地方性法规、自治条例和单行条例提出的审查要求,由专门委员会进行审查、提出意见。因此,规定由专门委员会对司法解释进行审查、提出意见,是必要的,与行政法规、地方性法规、自治条例和单行条例备案审查制度是相一致的。

(二)关于对司法解释提出审查建议

对司法解释提出审查建议,是一种“建议权”,能否进入正式审查程序,还要经全国人大常委会工作机构进行研究,只有在必要时,才送有关专门委员会审查、提出意见,即进入正式的审查程序。根据本条第二款的规定,除了国务院、中央军事委员会、最高人民法院、最高人民检察院和省、自治区、直辖市的人大常委会等国家机关以外,其他国家机关和社会团体、企业事业组织以及公民认为最高人民法院、最高人民检察院作出的具体应用法律的解释同法律规定相抵触的,可以向全国人大常委会书面提出进行审查的建议,由常务委员会工作机构进行研究,必要时,送有关专门委员会进行审查、提出意见。这里的"工作机构",是指全国人大常委会法制工作委员会。具体的工作程序是:其他国家机关和社会团体、企业事业单位以及公民认为司法解释同宪法或者法律相抵触,向全国人大常委会书面提出审查建议的,由法制工作委员会负责接收、登记,并进行研究。法制工作委员会经过研究以后,认为该项建议成立的,报全国人大常委会秘书长批准后,送有关专门委员会进行审查、提出意见。

其他国家机关和社会团体、企业事业组织以及公民是宪法和法律最广泛的运用者,他们往往在具体运用法律的过程中较早发现司法解释存在的问题,赋予他们对司法解释提出审查建议的权利,体现了宪法关于公民对于任何国家机关有提出批评和建议的权利,保证他们行使批评建议权;又避免层层上报、层层批准、减少公文的运转程序,提高对司法解释的审查效率。因此,赋予其他国家机关和社会团体、企业事业组织以及公民提出审查建议的权利,是十分必要的。但是,提出审查建议,也必须是"书面提出",即必须采用书面的形式,向全国人大常委会提出审查建议。

第三十三条 全国人民代表大会法律委员会和有关专门委员会经审查认为最高人民法院或者最高人民检察院作出的具体应用法律的解释同法律规定相抵触，而最高人民法院或者最高人民检察院不予修改或者废止的，可以提出要求最高人民法院或者最高人民检察院予以修改、废止的议案，或者提出由全国人民代表大会常务委员会作出法律解释的议案，由委员长会议决定提请常务委员会审议。

【释义】 本条是关于司法解释同法律相抵触时如何处理的规定。

根据本条以及《司法解释备案审查工作程序》的规定，最高人民法院、最高人民检察院作出的具体应用法律的解释，经全国人大法律委员会和有关专门委员会审查认为同法律规定相抵触的，按照以下程序处理：

第一，与作出司法解释的机关进行沟通协商。全国人大法律委员会和有关专门委员会经审查认为最高人民法院或者最高人民检察院作出的司法解释同法律规定相抵触的，可以与作出该司法解释的机关进行沟通协商，提出意见。经过沟通协商，作出该司法解释的机关，按照全国人大法律委员会和有关专门委员会所提的意见，对该司法解释进行修改或者废止的，不再进行审查。但是，作出该司法解释的机关应当及时将修改后的司法解释报送全国人大常委会备案，或者将废止该司法解释的情况书面向全国人大常委会反馈。

第二，向作出司法解释的机关提出书面审查意见。全国人大法律委员会和有关专门委员会与作出司法解释的机关进行沟通协商，提出意见以后，作出司法解释的机关不对该司法解释进行修改或者废止的，由全国人大有关专门委员会正式向作出该司法解释的机关提出书面审查意见，建议作出该司法解释的机关自行修改或者废止该司法解释。作出该司法解释的机关应当在 2 个月内研究提出是否修改或者废止的意见，并将该意见一式五份向全国人大有关专门委员会反馈。

第三，向全国人大常委会提出议案。全国人大有关专门委员会正式向作出同法律规定相抵触的司法解释的机关提出书面审查意见后，作出该司法解释的机关不予修改或者废止的，全国人大法律委员会和有关专门委员会可以向全国人大常委会提出议案。议案有两种：

一是要求最高人民法院或者最高人民检察院予以修改、废止同法律规定相抵触的司法解释的议案。议案提出以后，由全国人大常委会委员长会议决定提请常委会审议。经全国人大常委会审议，可以作出决议，责令该司法解释的制定机关予以修改、废止。

二是由全国人大常委会作出法律解释的议案。议案提出以后，由委员长会议决定提请常委会审议。经委员长会议决定提请常委会会议审议的，依照立法法的有关规定办理。

根据立法法的规定，国务院、中央军事委员会、最高人民法院、最高人民检察院和全国人大各专门委员会以及省、自治区、直辖市的人大常委会可以向全国人大常委会提出法律解释要求。常委会工作机构研究拟订法律解释草案，由委员长会议决定列入常委会会议议程。法律解释草案经常委会会议审议，由法律委员会根据常委会组成人员的审议意见进行审议、修改，提出法律解释草案表决稿。法律解释草案表决稿由常委会全体组成人员的过半数通过，由常委会发布公告予以公布。全国人大常委会通过的法律解释同法律具有同等效力，司法解释同全国人大常委会的解释不一致的，即行失效。

第六章　询问和质询

询问和质询，是人大常委会组成人员对政府及其部门、法院、检察院工作中不清楚、不理解、不满意的方面提出问题，要求有关机关作出说明、解释的一种活动。询问和质询，是人大常委会组成人员的个人行为，不是人大常委会的集体行为。常委会组成人员享有询问和质询权的基础，是人大常委会对“一府两院”享有监督权。询问和质询的目的，是为了获知“一府两院”的工作情况和其他有关情况或者对“一府两院”的工作提出批评，以督促他们改进工作中的缺点和错误，提高依法办事水平和工作效率。所以，询问和质询虽然是常委会组成人员的个人行为，但其性质是人大常委会行使监督职权的方式之一，是人大常委会监督权的一种独特运行方式。

本章共 5 条，根据宪法和有关法律规定，对询问和质询的提出主体和要求、答复机关和程序、对质询案答复不满意的处理等，作了进一步规范化、程序化的规定。

第三十四条　各级人民代表大会常务委员会会议审议议案和有关报告时，本级人民政府或者有关部门、人民法院或者人民检察院应当派有关负责人员到会，听取意见，回答询问。

【释义】 本条是关于询问制度的规定。

(一)询问和质询的特点和意义

与其他监督方式相比,询问和质询有其自身的特点:一是简便性。询问和质询都是常委会组成人员的个人行为,提出和处理程序都比较简单,一般情况下,当次会议提出,当次会议就可以由有关机关答复;询问可以个人或者几个人联合口头提出,或者书面提出;询问和质询都可以口头答复,也可以书面答复,非常简便易行。二是经常性。询问和质询可以经常、反复运用,没有次数限制。对同一个机关,不同常委会组成人员可以分别提出询问或者质询;一个常委会组成人员可以对不同机关同时提出询问或者质询;询问和质询两种形式可以单独使用,也可以配合使用,直至达到了解情况、督促改进工作之目的。因此,询问和质询有利于监督工作收到实效。三是针对性。询问和质询都是针对特定问题提出的,有关机关的答复也必须针对常委会组成人员所提出的问题,因此,询问和质询具有很强的针对性,有利于监督更加深入。四是互动性。询问和质询是常委会组成人员提出问题,由有关机关答复。通过一问一答,常委会组成人员可以加深对"一府两院"工作情况的了解,"一府两院"也可以更清楚地了解常委会组成人员所关心的问题和意见,有利于促进常委会组成人员与"一府两院"的相互沟通和理解,具有很强的互动性。

询问和质询作为人大常委会行使监督权的重要形式,对于实现人大常委会组成人员的知情权、督促"一府两院"改进工作、促进常委会组成人员与"一府两院"的相互沟通和理解,具有重要意义。

第一,有利于常委会组成人员实现知情权。我国是人民当家作主的社会主义国家,人民,只有人民,才是国家的主人。人民代表大会制度是人民行使国家权力的根本途径和形式。各级人大代表是由人民选举产生的,是代表人民行使国家权力的。各级人大常委会组成人员是从代表中选举产生的,是代表的代表。常委会组成人员代表人民行使监督权,首先必须了解"一府两院"的工作情况和其他必要的情况。因此,知情权是常委会组成人员行使权利、履行职责的一项基础性权利。没有知情权,常委会组成人员就无法充分而有效地履行职责。常委会组成人员实现知情权的途径和方式多种多样,包括听取工作报告、参加执法检查和专题调研、阅读各种文件和材料等,询问和质询是一种具有法律效力的知情权实现途径和方式,具有很强的针对性和时效性。

第二,有利于督促"一府两院"改进工作。询问和质询,通过提出问题,包括要求"一府两院"对自己的工作情况作出说明、解释和对"一府两院"的工作提出批评和改进意见,可以促使"一府两院"更加清楚地了解自己工作所存在的问题,明确改进工作的方向和措施,提高工作效率和工作水平。所以,列宁说:人民代表的质询权是同官僚主义作斗争的方式之一。2004 年 9 月党的十六届四中全会通过的《中共中央关于加强党的执政能力建设的决定》提出:"依法实行质询制、问责制、罢免制。"把质询制同问责制、罢免制一起,作为反腐倡廉、加强执政能力建设的重要措施。

第三，有利于促进常委会组成人员与“一府两院”的相互沟通和理解。在我国，按照民主集中制原则组成起来的人民代表大会制度，与西方国家的“三权鼎立”、相互牵制不同，我国的人大常委会与“一府两院”只是分工不同，目标是完全一致的。人大常委会对“一府两院”工作实施监督，既是一种制约，又是一种支持和促进。人大常委会组成人员通过提出询问和质询，由有关机关作出答复，可以加深对“一府两院”工作情况的了解，消除一些不必要的误解，增强对“一府两院”工作繁重性、艰巨性、复杂性的理解；而“一府两院”通过常委会组成人员所提出的询问和质询，可以加深对常委会组成人员代表人民群众所表达的对“一府两院”工作的意见，从而更加自觉地坚持执政为民、以民为本，全心全意地为人民服务。通过这样的互动，有利于加深常委会组成人员与“一府两院”的相互沟通和理解，共同围绕党和国家的工作大局做好工作。

（二）询问和质询的异同

询问与质询都是人大常委会监督权的运行方式。常委会组成人员的询问权和质询权，都是来源于人大常委会的监督权；询问和质询，都是以常委会组成人员的个人名义提出问题，要求有关机关作出答复，以达到了解情况，督促“一府两院”改进工作之目的；对询问和质询的答复，都可以口头答复，也可以书面答复。这些是询问和质询的共同特点。

询问和质询的主要区别是：（1）询问是常委会组成人员在审议讨论议案和有关报告时，就议案、报告中不清楚、不理解等事项向有关机关提出问题，要求答复；质询是常委会组成人员对有关机关工作中不理解、有疑问的问题，提出疑问和质疑，要求答复。询问的功能，主要是获取情况，同时也有批评的功能；质询的功能，主要是批评，同时也有获取情况的功能，因此，两者之间的侧重点有所不同。（2）询问的程序比较简便，随问随答；质询的程序比较严格，必须依照一定的程序进行。（3）询问是在审议议案和报告过程中提出的，因此，询问的问题大多与正在审议的议案和报告有关，但为了加深对议案和报告的理解，询问也不完全局限于议案和报告本身，与议案和报告内容相关的问题也可以提出；质询在会议期间随时可以提出，质询的问题可以与正在审议的议案和报告有关，也可以没有关系。（4）询问可以由常委会组成人员个人提出，也可以几个人联合提出；可以口头提出，也可以书面提出；质询只能由一定人数的常委会组成人员书面联名提出，不能口头提出。（5）询问可以由被询问机关的负责人答复，也可以由被询问机关下属机构的有关负责人答复；质询必须由受质询机关的负责人答复。（6）询问通常由有关机关当场口头答复，如果对答复不满意，可以当场跟进提出询问，只有在不能当场口头答复时，经说明原因后，才能另定时间答复或者书面答复；质询由委员长会议或者主任会议确定答复的时间和方式（委员长会议或者主任会议可以决定在当次会议答复，也可以在下次会议答复；可以口头答复，也可以书面答复），有关机关答复后，如果提出质询案的常委会组成人员过半数对答复不满意，可以要求再次答复，经委员长会议或者主任会议决定，由受质询机关再作答复。

（三）询问制度的形成过程

询问制度最早出现于 1982 年的全国人民代表大会组织法。该法规定："在全国人民代表大会审议议案的时候，代表可以向有关国家机关提出询问，由有关机关派人在代表小组或者代表团会议上进行说明。"询问制度，是在质询制度之外新创设的一项制度。1986 年 12 月修改地方组织法时，将询问制度引入了地方人大。

1987 年 11 月六届全国人大常委会第二十三次会议通过的《全国人民代表大会常务委员会议事规则》将"询问"引入到全国人大常委会。该规则第 10 条规定："常务委员会分组会议对议案或者有关的工作报告进行审议的时候，应当通知有关部门派人到会，听取意见，回答询问。"1989 年 4 月七届全国人大二次会议通过的《全国人民代表大会议事规则》进一步将"询问"与"质询"并列作为一章作出规定，并要求有关机关派"负责人员"到会听取意见，回答询问，进一步强化了询问的监督作用，从而形成了询问与质询两种并列的监督形式。

（四）询问的提出与答复程序

询问与质询相比，程序更加简便，方式更加灵活，因此更便于操作和开展。由于询问采取提出问题，要求解答的方式，比质询更加缓和，互动性更强，所以询问往往更易于被"一府两院"所接受。因此，询问是人大常委会行使职权经常运用的一种方式。

根据这一条规定，询问的提出和答复程序是：

（1）提出询问的主体，主要是常委会组成人员，同时，列席常委会会议的本级人大代表、专门委员会成员、常委会工作机构负责人和下一级人大常委会负责人等,也可以提出询问。询问可以个人单独提出,也可以几个人联合提出;可以口头提出,也可以书面提出。

(2)提出询问的时间,应当是常委会会议期间审议议案和有关报告的时候,在常委会闭会期间,无法提出询问。在常委会闭会期间,如果常委会组成人员提出问题,要求有关机关答复,可以采取提出建议、批评和意见的形式,由常委会办事机构交有关机关作出答复。

(3)提出询问的内容,应当与正在审议的议案和有关报告有关,但为了加深对议案和报告的理解,以便深入进行审议,询问也不一定仅仅限于议案和有关报告本身,凡与议案和有关报告相关的问题,也可以提出询问。

(4)提出询问的对象,应当是正在审议的议案和报告所涉及的工作的相关机关,比如常委会审议义务教育问题专项工作报告时,可以向义务教育主管部门提出询问,但也不仅限于义务教育主管部门,也可以向与义务教育直接相关的其他部门(如财政部门、教材出版主管部门)提出询问。

(5)询问的答复,监督法明确规定,常委会审议议案和有关报告时,“一府两院”应当派有关负责人员到会。因此,询问提出后,通常由有关机关当场口头答复,不能当场答复的,比如所提问题不是派人到会的机关的职责范围或者所提问题比较复杂需要进行必要的材料准备工作,经说明原因后,可以在下次会议上答复或者书面答复。“有关负责人员”可以是政府或者有关部门、法院、检察院的正副职领导人，也可以是其所属机构的正副职领导人，如政府有关部门下属局（处、科）的正副职领导人、法院下属审判庭的正副庭长、检察院下属厅（处、科）的正副职领导人。

（6）询问的跟进，询问经有关机关答复后，提出询问的常委会组成人员和其他人员如果仍有不清楚的问题，可以当场跟进提出询问，由有关机关答复。因此，询问具有很强的互动性，很有利于对问题进行深入审议讨论。

第三十五条　全国人民代表大会常务委员会组成人员十人以上联名，省、自治区、直辖市、自治州、设区的市人民代表大会常务委员会组成人员五人以上联名，县级人民代表大会常务委员会组成人员三人以上联名，可以向常务委员会书面提出对本级人民政府及其部门和人民法院、人民检察院的质询案。

质询案应当写明质询对象、质询的问题和内容。

【释义】　本条是关于质询案的提出程序和要求的规定。

（一）质询制度的发展过程

质询制度起源于英国，后来在一些实行议会制的西方国家得到广泛实行。在英国，质询分为口头质询和书面质询两种。书面质询适用于两种情况：一种是要求口头答复因时间不够而转为书面答复的；另一种是议员要求书面答复的。在法国、意大利，质询也分口头质询和书面质询两种。在德国，质询分为大质询和小质询两种。大质询，在政府答复或者拒绝答复后，如果有一个相当于议会党团人数的联邦议院议员或者联邦议院5%议员要求，必须列入议程进行审议。小质询则不提交审议。

在我国，质询制度经过了一个发展完善过程。1954年宪法第一次规定了质问制度，即宪法第三十六条规定："全国人民代表大会代表有权向国务院或者国务院各部、各委员会提出质问，受质问的机关必须负责答复。"1954年全国人大组织法第三十三条对质问的程序作了规定："全国人民代表大会代表向国务院或者国务院各部、委员会提出的质问，经过全国人民代表大会会议主席团或者全国人民代表大会常务委员会提交受质问的机关。受质问的机关必须向全国人民代表大会或者全国人民代表大会常务委员会负责答复。"1954年地方组织法第十七条规定："地方各级人民代表大会举行会议的时候，代表向本级人民委员会或者本级人民委员会所属各工作部门提出的质问，经过主席团提交质问的机关。受质问的机关必须在会议中负责答复。"根据上述规定，质问主体是代表，代表可以一个人单独提出，也可以几个人联合提出；质问对象是同级人民政府及所属各部门。

1975年宪法删去了有关质问的规定。1978年宪法和1979年地方组织法将"质问"改为"质询"，并把质询对象扩大到法院和检察院。在1980年9月五届全国人大三次会议上，179名北京团代表就新中国建立以来投资最大的宝钢工程建设问题提出质询，被称为"共和国质询第一案"。

1982年宪法第七十三条规定："全国人民代表大会代表

在全国人民代表大会开会期间，全国人民代表大会常务委员会组成人员在常务委员会会议期间，有权依照法律规定的程序提出对国务院或者国务院各部、各委员会的质询案。受质询的机关必须负责答复。”这一规定同 1978 年宪法关于质询的规定相比，有三点不同：一是赋予全国人大常委会组成人员享有质询权，此前只有代表享有质询权，常委会组成人员没有质询权。二是质询对象恢复 1954 年宪法的规定，没有包括最高人民法院和最高人民检察院。三是授权法律对提出质询案的程序作出规定。在通过新宪法的同次全国人大会议上修改颁布的全国人大组织法对提出质询案的人数作了规定：“在全国人民代表大会会议期间，一个代表团或者三十名以上的代表，可以书面提出对国务院和国务院各部、各委员会的质询案。”“常务委员会会议期间，常务委员会组成人员十人以上，可以向常务委员会书面提出对国务院和国务院各部、各委员会的质询案。”习仲勋副委员长对这一修改作了这样的说明：“质询案一般是对国务院或者国务院各部、各委员会决定的方针、政策或者重大措施有意见，或者对认为有失职行为的领导人员提出质询，要求答复的，如果多数代表对质询的答复不满意，还可以提出要求进一步采取措施的意见。这是一件比较严肃的事情，因而草案规定代表提出质询案的程序与代表提出议案的程序应当大致相同。”他还说：“这样规定，便于代表和全国人大常委会委员行使质询权，并使质询能够顺利地进行，有利于发挥全国人大和它的常委会对国家机关的监督作用，也便于受质询机关作出负责的答复。”1986 年 12 月修改地方组织法时，也对地方人大代表提出质询案的人数作了规定，并增加规定了地方人大常委会的质询制度。

1987 年 11 月六届全国人大常委会第二十三次会议通过的全国人大常委会议事规则和 1992 年 4 月七届全国人大五次会议通过的代表法，进一步将质询对象扩大到最高人民法院、最高人民检察院。

一些地方性法规对质询制度作了进一步的完善，有的还专门制定了有关质询的地方性法规，如海南省人大通过了《海南省人民代表大会及其常务委员会处理质询案的规定》，对可以提出质询案的范围和质询程序等作出进一步具体规定，使之更具可操作性。

（二）质询案的提出程序

根据本条规定，提出质询案必须符合以下条件：

第一，提出质询案的主体，必须是常委会组成人员。虽然人大代表可以在代表大会期间依法提出质询案，但代表在列席常委会会议时，不能提出质询案，也不能与常委会组成人员共同联名提出质询案。

第二，质询案必须符合法定人数，即全国人大常委会组成人员 10 人以上联名，省级和设区的市、自治州人大常委会组成人员 5 人以上联名，县级人大常委会组成人员 3 人以上联名，可以提出质询案。不符合法定人数，不能作为质询案提出，可以作为询问提出。

第三，质询案必须以书面形式提出，不能以口头形式提出。如果以口头形式提出，应当按照询问处理。

第四,质询案必须针对本级政府或者有关部门、法院、检察院,不能针对其他机关或者组织提出质询案,比如不能针对人大常委会、专门委员会、上级机关或者下级机关、社会团体、企事业单位等提出质询案。

(三)质询案的要求

根据本条规定,质询案必须符合以下三项要求:

第一,写明质询的对象。质询案必须写明向谁提出,要求谁作答复。一个质询案,应当只针对一个质询对象,不能同时针对多个质询对象,以便明确答复机关。如果常委会组成人员要求对多个质询对象提出质询,应当分别提出几个质询案。质询对象,包括本级政府及其各部门、法院、检察院。政府部门,既包括政府组成部门,也包括办事机构、直属机构。政府部门、法院和检察院下属机构的行为,分别由政府部门、法院、检察院统一向人大常委会负责,因此,这些机关的下属机构不是质询对象。本级人大常委会、专门委员会、上级或者下级机关、社会团体、企业事业单位等,都不属于常委会组成人员的质询对象。对人大常委会、专门委员会、上级或者下级机关工作中存在的问题,常委会组成人员可以提出意见,不采取提出质询案的方式。社会团体、企业事业单位不是由人大产生的,不直接受人大监督,而是受政府及其部门监督管理的,因此,对社会团体、企业事业单位管理中存在的问题,常委会组成人员可以向政府有关主管部门提出质询,督促他们对社会团体、企业事业单位加强管理。

第二,写明质询的问题。质询案必须写明质询什么问题。

没有明确的问题,受质询机关就无法答复。一般来讲,一个质询案应当只提出一个问题,如果有多个问题需要质询,可以分别提出几个质询案。这样,一方面有利于合理分配质询时间,保证常委会组成人员平等享有质询权;另一方面也有利于受质询机关针对各个不同问题分别作出明确答复,避免出现避重就轻的情况,有选择性地进行答复,以提高质询效果。

第三,写明质询的内容。质询案必须写明因为什么具体事项、什么理由提出质询,并提供该事项必要的有关情况,以便受质询机关准确把握常委会组成人员质询的意图,希望了解的情况范围或者不满意的事项,作出有针对性的答复。没有写明质询的内容,受质询机关的答复难免会失之宽泛,达不到质询目的。

第三十六条　质询案由委员长会议或者主任会议决定交由受质询的机关答复。

委员长会议或者主任会议可以决定由受质询机关在常务委员会会议上或者有关专门委员会会议上口头答复,或者由受质询机关书面答复。在专门委员会会议上答复的,提质询案的常务委员会组成人员有权列席会议,发表意见。委员长会议或者主任会议认为必要时,可以将答复质询案的情况报告印发常务委员会会议。

【释义】　本条是关于质询案答复的规定。

根据本条规定,质询案由委员长会议或者主任会议决定交受质询机关答复。委员长会议或者主任会议决定的内容包括以下三项:(1)答复的形式,即是口头答复还是书面答复。(2)答复的场所,即决定口头答复的,应明确在常委会会议上答复,还是在有关的专门委员会会议上答复。(3)答复的时间,即是在常委会会议期间答复,还是闭会期间答复,以及具体的答复日期。质询案通常应当在本次常委会会议期间答复,如因提出质询的问题比较复杂,确实无法在本次常委会会议期间答复的,经委员长会议或者主任会议决定,并征求提质询案的常委会组成人员的意见,也可以在闭会期间提出书面答复或者在有关的专门委员会会议上答复。

在专门委员会会议上口头答复的,提出质询案的常委会组成人员有权列席会议,发表意见。这里的"发表意见",通常应针对受质询机关的答复中不清楚的问题,提出要求进一步答复的意见,或者对答复是否满意发表意见,一般不宜提出质询案没有涉及的新问题要求答复。如果提出新的问题,实际是提出新的质询,应当依法提出新的质询案。

质询案答复后,委员长会议或者主任会议认为必要时,将答复质询案的情况报告印发常委会会议。答复质询案的情况报告,通常由常委会工作机构或者有关专门委员会工作机构负责起草。

第三十七条　提质询案的常务委员会组成人员的过半数对受质询机关的答复不满意的,可以提出要求,经委员长会议或者主任会议决定,由受质询机关再作答复。

【释义】　本条是关于对质询案答复不满意如何处理的

规定。

对质询的答复不满意如何处理，各国做法不尽一样。在英国，议员对质询答复不满意时，可以提出补充质询。过去补充质询不多，20 世纪 60 年代以后补充质询大量增加，平均每两项质询有三项补充质询，到 1974 年达到一项质询有两项补充质询，现在规定只能就原题提一项补充质询。一般在质询答复之后，不就质询事件进行讨论或表决。但如果议员想测试政府的政治力量，在质询之后认为不满意时，可以动议"休会以讨论紧急的待定事项"。这种休会的动议不是中止议事日程。宣告休会是为了变更议事日程，把质询变成议题交付议会讨论。这一动议需有 40 名议员赞成，才能成为议题。在法国，议员对质询答复不满意，可以进一步提出质问。质问比质询更严厉。政府对质问有 1 个月时间准备。政府答辩后，议会进行广泛辩论，并把辩论结果以动议方式列入议事日程进行表决。

根据本条规定，如果有超过半数的常委会组成人员对质询答复不满意，说明受质询机关没有认真对待，为了充分发挥质询的监督作用，经委员会会议或者主任会议决定，受质询机关必须再作答复。再作答复，是口头答复，还是书面答复，也由委员长会议或者主任会议决定。

在我国，从实践情况看，常委会组成人员对受质询机关的答复不满意，一般有三种情况：第一种是受质询机关没有针对所质询的问题或者没有完全针对所质询的问题答复，或者没有向常委会组成人员提供全部实际情况。第二种是受质询机关在答复质询时不够谦恭，或者不接受常委会组成人员的批评。第三种是常委会组成人员对受质询机关的某项工作有不同意见,受质询机关认为自己的做法正确,不准备改变(比如,各方面意见有分歧,常委会组成人员的意见并不正确或者不属于多数意见);或者无法改变(比如,有些做法虽有错误,但已经无法改变,或者不属于受质询机关职权范围)。属于第一种情况的,常委会组成人员可以要求进一步答复。再作答复仍不满意的,常委会组成人员可以依法采取其他行动。属于第二种、第三种情况的,不管受质询机关如何答复,常委会组成人员都不可能满意。在这种情况下,常委会组成人员如果认为必要,可以依法采取其他行动,包括可以向常委会提出要求有关机关就所质询的事项作专项工作报告的建议或者要求组织执法检查的建议,等等。

第三十八条　质询案以口头答复的,由受质询机关的负责人到会答复。质询案以书面答复的,由受质询机关的负责人签署。

【释义】　本条是关于质询案由谁到会答复和书面答复由谁签署的规定。

根据本条规定,质询案以口头答复的,由受质询机关的负责人到会答复;以书面答复的,应当由受质询机关负责人签署。这里的“负责人”,是指政府或其部门正副领导人、法院院长或者副院长、检察院检察长或者副检察长,不包括其下属机构的领导人。这样规定,一是以示对人大常委会的尊重,二是以示受质询机关对答复意见的负责。

第七章　特定问题调查

特定问题调查，是人大常委会为了正确行使职权就某一专门问题所进行的一种调查活动，是人大常委会行使监督权的一种重要形式。

本章共5条，根据宪法和有关法律规定，总结实践经验，对组织特定问题调查委员会的主体和范围、调查委员会的组成和权限、调查报告的提出和审议等，作了全面的、统一的规定。

第三十九条　各级人民代表大会常务委员会对属于其职权范围内的事项，需要作出决议、决定，但有关重大事实不清的，可以组织关于特定问题的调查委员会。

【释义】　本条是关于组织特定问题调查委员会的主体和范围的规定。

国会拥有国政调查权，起源于英国，研究者将其称为“国事调查权”或“国政调查权”，主要指国会所进行的有关国家重大事宜的调查，区别于行政或司法部门所进行的一般调查。近现代立宪国家，无论宪法有无明文规定，普遍承认国会拥有国政调查权。各国议会的国政调查权因国情的不同而有所不同。在西方国家,国政调查权原则上由议会直接行使。但由于议会人数较多,为便于调查权的行使,许多国家将某些特定事项交专门委员会调查。特别是以委员会为中心的国家,如美国、日本,实际上是以委员会为中心行使国政调查权的。在日本,由国会两院的常任委员会行使国政调查权。在英国,先是由议会的委员会进行国政调查,以后改为经议会两院作出决议后,由国王或一名主管大臣任命一个调查法庭进行调查。

我国宪法和法律关于特定问题调查委员会的规定,经历了一个发展完善的过程。早在20世纪50年代我国人民代表大会制度建立初期,宪法和法律对全国人大及其常委会的特定问题调查权就已作了规定。1954年宪法第三十五条规定:"全国人民代表大会认为必要的时候,在全国人民代表大会闭会期间全国人民代表大会常务委员会认为必要的时候,可以组织对于特定问题的调查委员会。调查委员会进行调查的时候,一切有关的国家机关、人民团体和公民都有义务向它提供必要的材料。"这一规定与苏联1936年宪法的规定基本相似,可以说,我国人大特定问题调查权的最初设立在很大程度上吸收了苏联的做法和经验,同时也是符合民主政治体制发展的要求的。1954年通过的全国人民代表大会组织法第三十条规定:"全国人民代表大会和全国人民代表大会常务委员会依照中华人民共和国宪法第三十五条的规定,可以组织对于特定问题的调查委员会。调查委员会的组织和工作,由全国人民代表大会或者全国人民代表大会常务委员会临时决定。"但在当时的历史条件下,以至后来的二十多年时间里,这一监督方式并没有引起人们的重视，在实践中更没有得到很好的运用，甚至在以后的1975年和1978年宪法中被取消。党的十一届三中全会以后，我国的人民代表大会制度进入了新的发展阶段。宪法和有关法律在继续赋予全国人大及其常委会特定问题调查权的基础上，还赋予县级以上地方各级人大及其常委会特定问题调查权。1982年通过的现行宪法第七十一条规定："全国人民代表大会和全国人民代表大会常务委员会认为必要的时候，可以组织关于特定问题的调查委员会，并且根据调查委员会的报告，作出相应的决议。""调查委员会进行调查的时候，一切有关的国家机关、社会团体和公民都有义务向它提供必要的材料。"1986年修改地方组织法时，增加第二十六条规定："县级以上的地方各级人民代表大会及其常务委员会可以组织对于特定问题的调查委员会。"从此开始，不仅全国人大及其常委会享有特定问题调查权，县级以上地方各级人大及其常委会也享有特定问题调查权。1995年第三次修改地方组织法时对地方人大及其常委会提议组织特定问题调查委员会、其组成人员的产生以及处理程序作了较为具体的规定。监督法在宪法和有关法律的基础上，总结各地人大工作的实践经验，对"特定问题调查"进一步作出规定。其补充和完善主要是两点：一是对在什么情况下可以组织特定问题调查委员会作了原则规定。即各级人大常委会对属于其职权范围内的事项，需要作出决议、决定，但有关重大事实不清，可以组织关于特定问题的调查委员会。二是对全国人大常委会提议组织特定问题调查委员会的程序作了规定。过去县级以上地方各级人大常委会组织特定问题调查委员会的程序,地方组织法作了规定,但全国人大常委会如何组织,法律未作规定,监督法补充了这一内容。

本条有以下几个问题需要注意:

1. 关于特定问题调查的含义

特定问题调查,是国家权力机关为了正确行使职权就某一专门问题所进行的调查活动,是国家权力机关行使监督权的一种重要手段。在理解这一概念时我们注意到,特定问题调查作为人大监督的一种方式,具有主体的权威性(为县级以上国家权力机关)、权力的法定性(由宪法和法律规定)、对象的重大和复杂性(属于人大常委会履行职责中有关重大事实不清的问题)、运作的程序性(调查委员会的提出、组成、调查的开展、调查报告的提出和通过、作出决议等一系列过程须依法律规定进行)等特点。

2. 关于在什么情况下可以组织特定问题调查委员会的问题

我国现行法律中明确规定可以组织特定问题调查委员会的事由有三处:一是 1989 年 4 月七届全国人大二次会议通过的《全国人民代表大会议事规则》。该议事规则第三十九条规定:“主席团、三个以上的代表团或者十分之一以上的代表,可以提出对于全国人民代表大会常务委员会组成人员,中华人民共和国主席、副主席,国务院组成人员,中央军事委员会组成人员,最高人民法院院长和最高人民检察院检察长的罢免案,由主席团交各代表团审议后,提请大会全体会议表决;或者依照本规则第六章的规定,由主席团提议,经大会全体会议决定,组织调查委员会,由全国人民代表大会下次会议根据调查委员会的报告审议决定。”二是 1995 年修改地方组织法时,在第二十六条增加规定县级以上地方各级人大会议在审议对于地方国家机关领导人员的罢免案时,可以不在本次会议对罢免案进行表决,而由主席团提议,经全体会议决定,组织调查委员会进行调查。在人大下次会议上,再根据调查委员会的报告对罢免案进行审议,作出是否予以罢免的决定。三是监督法第四十五条第三款规定,县级以上地方各级人大常委会五分之一以上的组成人员书面联名,可以向常委会提出对常委会决定任命的国家机关工作人员的撤职案,由主任会议决定是否提请常委会会议审议;或者由主任会议提议,经全体会议决定,组织调查委员会,由以后的常委会会议根据调查委员会的报告审议决定。上述三部法律的规定,指出了组织特定问题调查委员会的一种情形,即在审议罢免案或撤职案时,可以组织特定问题调查委员会。当然,在审议罢免案或撤职案时,并不是必须组织调查委员会。如果提出的罢免案事实清楚,理由充分,可在当次会议上对罢免案进行表决;如果认为有些事实还不清楚,可以组织特定问题调查委员会,对有关的事实进行调查,体现了对人的处理要十分慎重的原则,避免匆忙决定。

在监督法的制定过程中,对在什么情况下可以组织特定问题调查委员会,进行了反复的研究,在总结近年来各地组织特定问题调查委员会的实践做法的基础上,对组织特定问题调查委员会的情形作了原则明确。本条规定,各级人大常委会对属于其职权范围内的事项,需要作出决议、决定,但有关重大事实不清的,可以组织特定问题调查委员会。有两个基本点需要把握:第一,组织特定问题调查委员会,是人大常委会行使职权的需要。对于人大常委会职权范围内的事项,必要时,可以组织调查委员会进行调查。第二,组织特定问题调查委员会,应是人大专门委员会、常委会工作机构无法胜任完成的重大问题。也就是说,在一般情况下,人大常委会在行使职权中,遇有事实不清需要调查的,首先应由人大专门委员会或者常委会工作机构进行调查,向常委会提出调查报告,不必组织特定问题调查委员会。只有在问题特别重大,由人大专门委员会或者常委会工作机构进行调查无法完成时,才需要组织特定问题调查委员会进行调查。特定问题调查权,是县级以上人大及其常委会的一项重要职权,需要慎重地行使,特别是要注意做到既不失职,又不越权。

3. 关于特定问题调查委员会的性质

国会拥有国政调查权,起源于英国。近现代立宪国家,无论宪法有无明文规定,普遍承认国会拥有国政调查权。在西方国家,国政调查权原则上由议会直接行使。但由于议会人数较多,为便于调查权的行使,许多国家将某些特定事项交由专门委员会调查。特别是以委员会为中心的国家,如美国、日本,实际上是以委员会为中心行使国政调查权的。

我国采取专门委员会与特定问题调查委员会两者并用的做法。一般性问题,原则上由专门委员会进行调查,有些还可以由常委会工作机构进行调查，向人大或常委会提出调查报告。需要组织特定问题调查委员会进行调查的问题，一般应当是特别重大、有关专门委员会或者常委会工作机构承担不了的问题。比如，关于罢免案、撤职案中提出的有关罢免理由、撤职理由，由专门委员会或者常委会工作机构进行调查，就不太合适，也难以完成，在这种情况下，可以组织特定问题调查委员会进行调查。关于特定问题调查委员会的性质，在制定1954年宪法时，刘少奇在宪法草案的报告中说："全国人民代表大会为着调查特定问题组织的委员会，这种委员会是临时性的组织，是全国人民代表大会为了监督其他国家机关的工作而组织的一种委员会。"特定问题调查委员会不同于人大的常设性组织，不是处理人大日常工作的常设机构，而是为调查某一特定问题而临时设立的组织，是一问题一设立，此问题调查结束后即自行解散，无须专门作出撤销调查委员会的决定。以后有新的问题需要设立调查委员会时，再根据法律规定的程序重新组织。

第四十条　委员长会议或者主任会议可以向本级人民代表大会常务委员会提议组织关于特定问题的调查委员会，提请常务委员会审议。

五分之一以上常务委员会组成人员书面联名，可以向本级人民代表大会常务委员会提议组织关于特定问题的调查委员会，由委员长会议或者主任会议决定提请常务委员会审议，或者先交有关的专门委员会审议、提出报告，再决定提请常务

委员会审议。

【释义】 本条是关于组织特定问题调查委员会提议的提出和审议决定的规定。

1. 提议组织特定问题调查委员会

提议组织特定问题调查委员会,是一种动议,不是一般意义上的议案。提议组织特定问题调查委员会,同一般议案相比较,有不同的要求。一是人数要求不同。依照全国人大组织法和全国人大常委会议事规则的规定,委员长会议,全国人大各专门委员会、国务院,中央军事委员会、最高人民法院,最高人民检察院、常委会组成人员 10 人以上,可以向常委会提出议案。依照地方组织法的规定,主任会议,人大各专门委员会,人民政府,一定数量的常委会组成人员(省级和设区的市级的人大常委会组成人员 5 人以上,县级的人大常委会组成人员 3 人以上),可以向本级常委会提出议案。组织特定问题调查委员会,是一个比较重大的事项,不应轻易启动,因此,全国人大议事规则和地方组织法参照人大代表提出罢免案的要求,对向代表大会提议组织特定问题调查委员会规定了一个比较高的人数要求,体现了慎重原则。监督法延续了地方组织法的规定。二是内容要求不同。根据有关法律的规定,议案要求有案由、案据和方案。提议组织特定问题调查委员会,只要求有理由和根据,不要求提出调查委员会组成方案。按照监督法的规定,调查委员会组成人员,由委员长会议或者主任会议向常委会提出。

2. 关于组织特定问题调查委员会提议的提出和审议、表

决程序

组织特定问题调查委员会是一种比较重大的举动,需要特别慎重,所以本条对组织特定问题调查委员会的程序作了比较严格的规定。

关于向人大常委会提议组织特定问题调查委员会的主体包括两种:一是委员长会议或者主任会议提议。委员长会议或者主任会议是负责处理常委会重要日常工作的机构,比较了解各方面的情况和群众的意见,规定委员长会议或者主任会议可以提议组织特定问题调查委员会,便于在确实必要时能够顺利组织调查委员会。委员长会议或者主任会议的提议,由委员长会议或者主任会议列入常委会会议议程进行审议。二是五分之一以上常委会组成人员联名提议。根据本条规定,如果有五分之一以上常委会组成人员提议组织关于特定问题的调查委员会,由委员长会议或者主任会议进行处理。处理的具体办法是:或者决定提请本次常委会会议审议;或者决定先交有关的专门委员会审议、提出报告,再根据专门委员会的报告,决定提请本次或以后的常委会会议审议。

关于组织特定问题调查委员会的提议,由委员长会议或者主任会议决定提请本级人大常委会议进行审议。常委会会议在审议之后,由委员长会议或者主任会议提出关于组织特定问题调查委员会的决定草案,提请常委会全体会议进行表决。决定草案由常委会全体组成人员的过半数通过。委员长会议或者主任会议提出要求组织关于特定问题的调查委员会的决定草案,应当同时提出调查委员会的组成人员名单,交付表决。需要注意的是,虽然委员长会议或者主任会议既可以提议组织特定问题调查委员会,也可以对常委会组成人员的联名提议决定交常委会直接审议或是交专门委员会审议,但不能直接决定是否组织特定问题调查委员会,是否组织特定问题调查委员会以常委会表决结果为准。因为,委员长会议或者主任会议作为处理常委会重要日常工作的机构,不代替常委会行使职权。况且,需要调查的特定问题一般都是非常重要的和复杂的,由委员长会议或者主任会议行使决定权,显然超出了“常委会重要日常工作”的范畴。

第四十一条　调查委员会由主任委员、副主任委员和委员组成,由委员长会议或者主任会议在本级人民代表大会常务委员会组成人员和本级人民代表大会代表中提名,提请常务委员会审议通过。调查委员会可以聘请有关专家参加调查工作。

与调查的问题有利害关系的常务委员会组成人员和其他人员不得参加调查委员会。

【释义】　本条是关于特定问题调查委员会人员组成的规定。

由于特定问题的调查委员会是在必要时成立的临时机构,不是常设机构,因此,在需要组织特定问题调查委员会时,必须临时提出人选,经常委会全体会议表决通过。根据本条规定,特定问题调查委员会由主任委员一名、副主任委员若干名和委员若干名组成,其人选由委员长会议或者主任会议提名，必须是本级人大常委会组成人员或者本级人大代表，其他人员不能被提名为调查委员会的成员。调查委员会组成人员的范围，应当根据所要调查的事项的实际需要来考虑，其规模不宜太大，也不宜太小。专门委员会组成人员和工作委员会的人员或有关专家组成可以应调查委员会的要求，协助参与调查工作，但不进入调查委员会成为其组成人员。

关于调查委员会的人数，法律没有规定，由组织调查委员会的人大常委会根据情况决定。由于调查委员会由主任委员、副主任委员和委员组成，因此，调查委员会的人数至少应为 3 人。调查委员会的人数是否应为奇数，法律没有规定。全国人大各专门委员会的人数，有的是奇数，有的是偶数。由于调查委员会报告的形成不必采用表决的方式，因此，调查委员会的人数既可以是奇数，也可以是偶数。

为了就一些专业性较强的问题进行深入调查，调查委员会可以聘请与调查工作所涉及专业有关的专家参加调查工作，如法律、财会、工程技术等方面的专家。但他们不是调查委员会成员，只是与调查委员会其他工作人员一道协助调查委员会工作。

为了保证调查的公正性，本条规定了在人大特定问题调查中实行回避制度。首先，与调查的问题有利害关系的常委会组成人员不得参加调查委员会；其次，这里的“其他人员”，包括人大代表和有关专家，与调查的问题有利害关系的应当回避。至于调查委员会工作人员是否实行回避，法律没有明确规定。考虑到工作人员在调查中也起着重要作用，因此，与调查的问题有利害关系的工作人员，也应当实行回避。

第四十二条 调查委员会进行调查时，有关的国家机关、社会团体、企业事业组织和公民都有义务向其提供必要的材料。

提供材料的公民要求对材料来源保密，调查委员会应当予以保密。

调查委员会在调查过程中，可以不公布调查的情况和材料。

【释义】 本条是关于特定问题调查委员会的调查权的规定。

为了保证特定问题调查委员会顺利完成调查任务，确保国家权力机关正确行使职权，必须赋予调查委员会必要的权力。根据本条的规定，特定问题调查委员会有两项重要权力：一是材料获取权。为了保证调查委员会获得全面、真实、准确的材料，一切有关国家机关、社会团体、企业事业组织和公民都有义务向其提供必要的材料。二是保密权。为了保障公民的合法权益，避免因提供材料而受到不必要的干扰、打击报复等，如果公民要求对材料来源保密，调查委员会应当采取必要措施予以保密。为了保证调查委员会调查工作的顺利进行，避免来自不同方面的干预、干扰，调查委员会在调查正在进行过程中，可以不公布调查情况和材料。调查委员会在开展调查工作中，如果遇到阻力或者受到非法干扰，可以要求有关机关协助予以排除，或者向人大常委会报告，由人大常委会要求有关机关协助排除阻力和干扰。

关于调查委员会是否可以拥有某些司法性强制权力的问题，本法没有规定。国外议会的国事调查方式允许调查委员会传唤证人、听取证言、查看记录等。美国国会中的专门调查委员会可以发出传票；德国宪法规定调查委员会"审理证据时得准照适用刑事诉讼规则。法院和行政机关有在法律上和行政上进行协助的义务"。可见国外议会的调查委员会是拥有一定强制权的。我国也有研究人员和学者认为，如果权力机关决定对某一问题进行调查，则该问题应当是相当重要的和必要的，因而在某种情况下，调查委员会如果没有必要的强制措施，则调查恐怕难以深入。因此，调查委员会的职权应当有措施保障使其能够查明事实、弄清真相。本法没有规定调查委员会拥有司法性权力，主要是考虑调查委员会是为调查某些特定问题而设立的一种临时性组织，不属于行政执法和司法部门，因而不能享有强制权。即使调查委员会组成人员有司法人员参加，也不能行使司法性权力。但是，调查委员会在调查时可以要求司法机关加以协助。调查委员会也可以就一事项委托司法机关调查，要求将调查的结果报告给调查委员会。

第四十三条　调查委员会应当向产生它的常务委员会提出调查报告。常务委员会根据报告，可以作出相应的决议、决定。

【释义】　本条是关于调查报告及其处理的规定。

调查委员会是人大常委会为搞清某一特定问题临时设立的特别工作机构，向组织它的人大常委会负责，它自己不能决定问题。因此，调查委员会在调查工作结束后，应当及时向组织它的人大常委会提出调查报告。调查报告必须为书面形式，应当对所要调查的事实情况作出回答，一般应包括调查过程、调查结论、结论依据以及处理建议等。

调查委员会的调查报告，一般按以下程序处理：(1)由委员长会议或者主任会议决定将调查委员会的报告列入常委会会议议程；(2)常委会全体会议听取调查委员会作调查情况的报告；(3)常委会会议对调查委员会的报告进行审议讨论，提出意见，调查委员会成员可以对常委会组成人员审议中提出的问题，作必要的解释、说明；(4)常委会会议审议后，根据情况，可以对有关特定问题作出决议、决定。但是，对撤职案所组织的调查委员会，常委会应当根据调查委员会的调查报告，决定是否将撤职案提请常委会审议和作出决定。常委会决定不将撤职案提请常委会审议的，对该撤职案的处理即行结束。

第八章　撤职案的审议和决定

县级以上地方各级人大常委会享有撤职权，是1986年全国人大常委会修改地方组织法时增加规定的一项内容，在此之前，人大常委会没有撤职权。增加人大常委会撤职权，主要是考虑到在本级人大闭会期间，需要对个别国家机关工作人员违法违纪行为依法进行处理。但地方组织法对人大常委会行使撤职权的程序未作规定，比如撤职权由谁提出，常委会组成人员可否提出撤职案，撤职案如何处理等不明确。监督法为适应地方人大常委会行使撤职权的需要，参照罢免案的提出和处理程序，对撤职案的提出主体、处理、审议和决定作出了明确规定，进一步完善了撤职制度。这对于加强对国家机关工作人员的监督，完善人大常委会监督制度，增强人大常委会监督实效，具有积极意义。

第四十四条　县级以上地方各级人民代表大会常务委员会在本级人民代表大会闭会期间，可以决定撤销本级人民政府个别副省长、自治区副主席、副市长、副州长、副县长、副区长的职务；可以撤销由它任命的本级人民政府其他组成人员和人民法院副院长、庭长、副庭长、审判委员会委员、审判员，

人民检察院副检察长、检察委员会委员、检察员，中级人民法院院长，人民检察院分院检察长的职务。

【释义】 本条是关于撤职适用的对象范围的规定。

（一）撤职的内涵

撤职是对有违法、违纪或者失职、渎职行为的国家机关工作人员，在其任期届满或者正常卸任之前，撤销（解除）其所任职务，以对其行为予以惩戒，严肃国家机关工作人员纪律。根据地方组织法和监督法，县级以上地方各级人大常委会有权撤销由其决定、任命的国家机关工作人员。正确理解和把握地方人大常委会撤职的内涵，要注意与以下几种解职行为相区别：

一是与"免职"的区别。人大常委会既有撤职权，也有免职权，但撤职与免职不同，撤职是一种惩罚性行为，表明被撤职人员有过错，如违反纪律、工作严重失误，甚至有违法犯罪行为。免职一般不具有惩罚性，可以适用于包括因调任其他工作、轮岗交流、任职期满、退休等因素而引起的免除其所任职务的行为。当然，在某些情况，免职也适用于有过错行为的国家机关工作人员，但相比撤职而言，其过错程度要轻一些，或者是其行为的性质还有待于进一步查清核实，只是现在已不适于继续任职而先行免职。

撤职与免职在性质上不同，在程序上也有所区别。人大常委会决定免职的程序一般是：（1）免职案由提请任职的"一府两院"正职领导人员提出；（2）免职案中一般只需简单说明免职理由；（3）常委会对免职案进行审议后即予表决。撤职具有惩戒性，体现了人大常委会对有关国家机关工作人员的监督。因此，除提请任职的“一府两院”首长有权提出撤职案外，人大常委会组成人员也可以提出撤职案。撤职的启动程序并不仅限于提请任职的机关，还可以是人大常委会的组成人员。同样，因撤职具有惩戒性，因此撤职案应当写明撤职理由，并提供有关材料，被提出撤职的人员有权提出申辩意见，必要时还应对撤职案所指控的行为是否属实进行调查，如监督法规定可以组织特定问题调查委员会。相比而言，免职案的审议和决定程序则简单一些。

二是人大常委会决定撤职与公务员纪律处分中“撤职”的区别。公务员是依法履行公职、纳入国家行政编制、由国家财政负担工资福利的工作人员，包括由人大及其常委会选举、决定任命的人员。根据公务员法，公务员因违法违纪应当承担纪律责任的，依照公务员法给予处分。处分分为警告、记过、记大过、降级、撤职、开除六种。其中撤职是指撤销公务员所担任的职务的纪律制裁方式，一般由公务员所任职务的任免机关批准。人大常委会决定撤职与纪律处分中的撤职相比，后果都是解除公务员所担任的职务；其区别在于：撤职处分属于纪律监督，是按纪律处分的条件和标准对违纪人员给予的处理，被处分人员有权申诉和申请复议。人大常委会决定撤职体现人大常委会对所决定任命公务员的政治监督，包含了对公务员的纪律监督，但不限于纪律监督，还包括对公务员履职行为的监督。在程序上，不存在被撤职人员进行申诉和申请复议的问题。

三是撤职与“罢免”的区别。根据地方组织法第十条的规定，地方各级人大有权罢免本级人民政府组成人员。县级以上地方各级人大有权罢免本级人大常委会组成人员和由它选出的人民法院院长、人民检察院检察长。罢免人民检察院检察长，须报经上一级人民检察院检察长提请该级人大常委会批准。罢免与撤职在性质、作用等方面，比较类似。人大常委会是本级人大的常设机关，行使部分国家权力。人大常委会的撤职权实际是人大罢免权的延伸。也正是如此，监督法对撤职案的提出、处理和审议等程序的规定，参考了地方组织法关于罢免的规定。其不同点在于两者行使的主体不同，罢免权由代表大会行使，撤职权由常委会行使。也正是行使主体的不同，带来了范围的不同，罢免对象包括“一府两院”正职领导人员以及常委会组成人员。

（二）撤职适用的对象范围

根据本条规定，人大常委会决定撤职适用的对象范围包括三类人员：

一是个别政府副职领导人员。这和个别任免政府副职领导人员是相对应的。地方组织法第四十四条第九项规定，县级以上地方各级人大常委会在本级人大闭会期间，决定副省长、自治区副主席、副市长、副州长、副县长、副区长的个别任免。对于政府副职领导人员，本级人大常委会可以个别任免，因而也可以个别撤职。需要明确的是，个别撤职并不只限于本级人大常委会所个别任命产生的政府副职领导人，对于由大会选举产生的政府副职领导人，本级人大常委会也是可以作出“个别”撤职的决定。这里不是对特定人员的限制，而是对数量上的限制，即只能是“个别”。政府副职领导人的任用决定权，原则上属于代表大会，但在大会闭会期间，也有个别需要调整的，因此，作为例外，法律授权常委会也可以任免、撤销政府副职领导人，但应限于“个别”。那么应当如何界定“个别”呢？

对于“个别撤职”应参照“个别任免”来理解考虑。地方组织法规定“个别任免”的时间较长，执行的经验较多，实践中提出的问题也已逐步明确。一些地方曾先后向全国人大常委会法制工作委员会询问，县级以上地方各级人大常委会在本级人大“闭会期间”个别任免政府副职领导人，是指两次大会之间只能进行个别任免，还是指每次常委会会议上都能进行个别任免？“个别”的具体数额是多少？法制工作委员会对此答复：这里的“闭会期间”是指两次大会之间。“个别任免”的具体数额，法律没有规定，建议在两次大会之间一次常委会会议决定任免的政府副职领导人员以一名为宜。这里明确的是两个问题：(1)闭会期间的含义，即两次大会之间(整个闭会期间)只能进行个别任免。至于具体在哪一次常委会会议上进行个别任免，可根据工作需要安排，但不能在每一次常委会会议上都安排个别任免。如果在闭会期间的每一次常委会会议上都可以进行个别任免，就有可能在闭会期间把大会选举的政府副职领导人全部更换完毕，这显然不符合法律对任免加“个别”限制的原意。因此不宜每次常委会会议都进行个别任免，如需全部或大部分更换，应当召开人民代表大会选举。(2)个别任免的具体数额。地方组织法除规定人大常委会在人大闭会期间可以个别任免政府副职领导人员外,第三十条还规定可以任免专门委员会的个别副主任委员和部分委员。一般理解而言,个别相对于整体而言,是整体中的极少数部分,个别任免的数额应当与职数联系起来考虑,可以是一二名,也就是在两次大会之间只能个别任免一二名。这样理解同人大会议的运行机制也是相符的。在人大会议召开前后的一段时间,如果发生政府副职领导人职务变动,原则上要安排由大会选举。而只有在大会召开后一段时间,因工作需要变动政府副职领导人,并且此时离下一次人大会议召开又还有一段时间,这时才有必要由常委会进行个别任免。参照对“个别任免”的解释,“个别撤职”应当理解为在两次人大会议之间,人大常委会可以撤销政府的个别副职领导人。

二是政府正、副职领导人员以外的其他组成人员。根据地方组织法第五十六条的规定,省、自治区、直辖市、自治州、设区的市的人民政府分别由省长、副省长,自治区主席、副主席,市长、副市长,州长、副州长和秘书长、厅长、局长、委员会主任等组成。县、自治县、不设区的市、市辖区的人民政府分别由县长、副县长,市长、副市长,区长、副区长和局长、科长等组成。因此,政府正副职领导人以外的其他组成人员包括秘书长、厅长、局长、委员会主任、科长等。根据地方组织法第四十四条第十项的规定,县级以上地方各级人大常委会根据本级人民政府正职首长的提名,决定本级人民政府秘书长、厅长、局长、委员会主任、科长的任免,报上一级人民政府备案。

对于上述人员，本级人大常委会有权任免，因此也有权决定撤职。对于这部分政府组成人员，人民代表大会还有权罢免。

三是地方各级人民法院院长、人民检察院检察长以外的由人大常委会任命的审判、检察人员。根据人民法院组织法、人民检察院组织法的规定，人民法院院长、人民检察院检察长由本级人大选举、罢免。在本级人大闭会期间，如果本级人大常委会认为人民法院院长需要撤换，须报请上级人民法院报经该级人大常委会批准。全国和省级人大常委会根据本级人民检察院检察长的建议，可以撤换下级人民检察院检察长。法律对人民法院院长、人民检察院检察长的监督程序作了专门规定。因此，县级以上地方各级人大常委会决定撤职的对象范围不包括本级人民法院院长和人民检察院检察长。

省级人大常委会对其任命的中级人民法院院长、人民检察院分院检察长，有权决定撤销其职务。我国的人民法院分为基层、中级、高级和最高级四级，人民检察院的设立与人民法院的设立相对应，其中在省、自治区内按地区设立和在直辖市内设立的中级人民法院和人民检察院分院，其院长和检察长由所在省、自治区、直辖市人大常委会主任会议提名，人大常委会任免。因此，省级人大常委会同时对他们享有撤职权。这里的中级人民法院和人民检察院分院不包括设区的市和自治州的中级人民法院和人民检察院。

第四十五条　县级以上地方各级人民政府、人民法院和人民检察院，可以向本级人民代表大会常务委员会提出对本

法第四十四条所列国家机关工作人员的撤职案。

县级以上地方各级人民代表大会常务委员会主任会议，可以向本级人民代表大会常务委员会提出对本法第四十四条所列国家机关工作人员的撤职案。

县级以上地方各级人民代表大会常务委员会五分之一以上的组成人员书面联名，可以向常务委员会提出对本法第四十四条所列国家机关工作人员的撤职案，由主任会议决定是否提请常务委员会会议审议；或者由主任会议提议，经全体会议决定，组织调查委员会，由以后的常务委员会会议根据调查委员会的报告审议决定。

【释义】 本条是关于撤职案的提出和处理的规定。

（一）撤职案的提出主体

根据本条规定，可以向本级人大常委会提出撤职案的主体是三类：

一是县级以上地方各级人民政府、人民法院和人民检察院。县级以上地方各级人民政府、人民法院和人民检察院直接使用本级人大常委会决定任命的所属国家机关工作人员，对他们的工作履职情况，比较熟悉了解，赋予他们向本级人大常委会提出撤职案的权力，有利于及时、主动地对所属国家机关工作人员进行监督，一旦发现有违法违纪、失职渎职行为需要撤销现任职务的，就可以及时启动撤职程序。地方各级人民政府、人民法院和人民检察提出撤职案，具体应由本级人民政府正职首长、人民法院院长和人民检察院检察长提出。行政机关实行首长负责制，人民政府各组成部门的正职负责人，由人民政府正职首长提请本级人大常委会任免。人民法院、人民检察院虽然并不实行首长负责制，但人大常委会任免审判、检察人员，也都由人民法院院长、人民检察院检察长提请。因此，人民政府正职首长、人民法院院长和人民检察院检察长可以代表本机关向本级人大常委会提出撤职案。

二是县级以上地方各级人大常委会主任会议。主任会议的组成分两种情况：(1)省、自治区、直辖市、设区的市和自治州的人大常委会主任会议由主任、副主任若干人和秘书长组成；(2)县、自治县、不设区的市、市辖区人大常委会主任会议由主任和副主任若干人组成。主任会议负责处理本级人大常委会的重要日常工作，包括拟定常委会会议的议程草案，研究处理本级人大常委会组成人员联名提出的议案、质询案等。在人事任免方面，主任会议可以向常委会提名专门委员会的个别副主任委员和委员的人选，提名代表资格审查委员会组成人员的人选等。主任会议可以提出撤职案，是法律赋予的又一项重要职责，也是党监督管理干部的重要渠道。对于常委会决定任命的国家机关工作人员，有关部门经调查核实，发现有违法违纪、失职渎职等情况而需要撤销其职务的，可通过主任会议向本级人大常委会提出。主任会议采取会议的方式决定问题，在充分讨论、广泛听取意见的基础上作出决策。因此，主任会议提出撤职案，应经主任会议成员讨论，以少数服从多数通过。

三是五分之一以上的常委会组成人员联名提出。常委会组成人员在集体行使监督职权的过程中，发现本级人大常委会决定任命的国家机关工作人员有需要撤职情形的,可以联名提出撤职案,启动撤职程序。联名提出撤职案的法定人数是常委会全体组成人员的五分之一。联名提出撤职案比人大代表在人大会议上联名提出罢免案的门槛要高,而提出罢免案的门槛又高于代表联名提出候选人的要求,这其中体现了深层次的制度设计考虑。地方组织法规定,县级以上地方各级人大举行会议的时候,十分之一以上代表联名,可以提出对本级人大常委会组成人员、人民政府组成人员、人民法院院长和人民检察院检察长的罢免案,由主席团提请大会审议。选举地方国家机关领导人员时,省级、市级(设区的市、自治州)、县级人大代表分别 30 人、20 人和 10 人以上联名,可以提出本级国家机关领导人员候选人。比罢免案的联名人数要低。这主要是因为,联名提出候选人,是为了广泛发现优秀人才,充分发扬民主,因此门槛不宜过高,并且提出的候选人过多,也可以通过协商、讨论逐步集中。而提出罢免案是对已经过半数当选人员的否决动议,必须具有相当的群众基础,得到一定数量代表的支持,以保证经多数人通过的国家机关工作人员任职的相对稳定性。常委会组成人员提出撤职案,比代表提出罢免案的要求更高。这主要是因为常委会组成人员的人数比较少。根据地方组织法,省级人大常委会组成人员一般是 35 人至 65 人,至多不超过 85 人;设区的市、自治州一般是 19 人至 41 人,至多不超过 51 人;县级人大常委会一般是 15 人至 27 人,至多不超过 35 人。如果按十分之一计算,几名委员即可联名提出撤职案,不利于保证撤职案提出的严肃性。为保证提出的撤职案具有一定的委员基础,体现严肃、慎重的精神,因此监督法将联名提出撤职案的人数规定为全体常委会组成人员的五分之一以上。我国法律中也有五分之一以上联名提出罢免要求的类似规定,如地方组织法规定,乡级人大代表五分之一以上联名可以提出对于乡镇人大主任、副主任,乡镇长、副乡镇长的罢免案。村民委员会组织法规定,本村有选举权的村民五分之一以上联名,可以要求罢免村委会成员等。监督法借鉴了这些规定。常委会组成人员参加联名提出撤职案,应当认真研究领衔人提出的撤职理由是否成立,相关材料是否充分,经慎重考虑后决定是否参与联名。

撤职案的提出主体包括了"一府两院"、主任会议和常委会组成人员联名,设计了比较严密的监督启动机制,有利于充分发挥这一监督手段的作用。

(二)撤职案的处理

撤职案提出后,其处理程序是两种:一是对于事实清楚、证据确凿的撤职案,由本级人大常委会主任会议直接提请本级人大常委会会议进行审议。"一府两院"和主任会议提出的撤职案,有关部门事先进行了大量的调查取证工作,一般符合事实清楚、证据确凿的要求。因此,一般情况下应直接提请常委会会议审议。二是对于撤职案指控的事实是否成立,证据和事实尚不清楚的,由主任会议决定暂不提请常委会会议审议,而是向常委会提议组织特定问题的调查委员会,由以后的常委会会议根据调查委员会的报告审议决定。这实际是为撤职设计了"冷处理"程序,以便有一个缓冲的时间,避免在有关事实尚未搞清楚的情况下草率作出决定，体现了对人的处理要慎重的原则。对于常委会组成人员联名提出的撤职案，主任会议要根据撤职案所提出的事实和证据等情况，决定是提请常委会会议审议，还是提议组织特定问题调查委员会，待查清有关问题和事实后再审议决定。

第四十六条 撤职案应当写明撤职的对象和理由，并提供有关的材料。

撤职案在提请表决前，被提出撤职的人员有权在常务委员会会议上提出申辩意见，或者书面提出申辩意见，由主任会议决定印发常务委员会会议。

撤职案的表决采用无记名投票的方式，由常务委员会全体组成人员的过半数通过。

【释义】 本条是关于撤职案的内容要件、审议与表决的规定。

（一）撤职案的内容要件

提请人大及其常委会审议决定的议案，都应当具备法定的形式和要件。根据代表法和有关法律，议案应当有案由、案据和方案。质询案应当写明质询对象、质询的问题和内容。罢免案应当写明罢免的理由等。撤职案作为一种比较特殊的议案，也应当具备法定的形式和要件。监督法对撤职案的内容要件作了规定，即撤职案应当写明撤职对象和理由。撤职对象就是被要求撤销职务人员的姓名和所任职务。这是撤职案所直接指向的目标，一定要明确无误。撤职理由就是提出撤职案所依据的事实和法律根据。对于在什么情况下或者对于什么样的行为可以提出撤职案,法律没有规定,但是提出撤职案必须有充分的理由。这种理由大体可以归纳为以下两方面:一是认为有违法违纪行为,如贪污、行贿、受贿,利用职务之便为自己或者他人谋取私利;二是认为有失职渎职行为,如玩忽职守,贻误工作,漠视人民的生命和财产损失。前者是一种积极的作为行为,后者是一种消极的不作为行为。判定是否需要撤职,既要考虑情节,又要考虑后果。情节严重,给国家和人民利益造成重大损失或严重后果的,或者是触犯刑律,构成犯罪的,都是撤职的重要理由。

提出撤职案还应当提供有关材料,以支持撤职理由,主要是有关违法违纪、失职渎职的事实、证据等。事实是决定是否撤职的客观依据,应当做到事实清楚,要对所指控行为的时间、地点、情节、危害及后果等有明确说明。证据是证明案件真实情况的所有事实,应当真实可靠并且能相互印证。有关材料作为撤职案的附件,一并提交。

（二）撤职案的审议与被提出撤职人员的申辩

列入常委会议程的撤职案,由常委会全体会议和分组会议审议。常委会组成人员可以就撤职案的事实是否清楚,证据是否确凿,理由是否充分,适用法律是否正确,处理是否恰当等发表意见和看法。在撤职案提请表决前,被提出撤职的人员有权在常委会会议上申辩,就撤职案所提出的事实、证据和理由等提出反驳意见,为自己申诉和辩护。申辩的形式有两种:一是口头进行申辩;二是书面进行申辩。如果口头申辩不方便，可以提出书面申辩意见，由主任会议决定印发常委会会议。赋予被撤职人员申辩的权利，是撤职程序公正性的内在要求。公正程序要求，每个人在接受不利处分之前，都应当有申辩的机会。规定被撤职人员享有申辩的权利，正是体现了这一要求。允许被撤职人员申辩，也是正确审议决定撤职的制度保证。“兼听则明，偏听则暗”，被撤职人员的申辩，有助于进一步查清有关事实和真相。如果被提出撤职的人员在申辩中提出了否定撤职理由的事实和证据，常委会主任会议应当责成有关部门认真研究、核实。

（三）撤职案的表决

撤职案经常委会组成人员审议，如果没有对撤职案提出相反的事实和证据，意见比较一致，主任会议应当将撤职案提请常委会全体会议表决。表决撤职案，采用无记名投票的方式。因为撤职案涉及对具体人的处理，为便于常委会组成人员真实地表达自己的意见和观点，防止打击报复，因此要采用无记名投票的方式表决。表决由常委会全体组成人员的过半数通过。

第九章 附 则

附则，是一部法律有关附带性内容的规定。附则的功能是对总则、主文（分则）未尽事宜作出交代。附则规定的内容，通常是一部法律应当明确而又不便在总则或分则中规定的内容。

本章共2条，规定了制定实施办法和施行日期问题。

第四十七条　省、自治区、直辖市的人民代表大会常务委员会可以根据本法和有关法律，结合本地实际情况，制定实施办法。

【释义】　本条是对省级人大常委会可以对本法的实施制定具体办法的规定。

我国地域广阔，各地政治、经济和社会发展差异较大，情况比较复杂。全国性法律需要在全国范围内实行，为了便于各地结合本地情况贯彻实施法律，一些法律规定得比较原则和概括，各地在执行时，需要根据本行政区域的实际情况作出具体规定，以利于法律的实施。因此，监督法第四十七条规定，省、自治区、直辖市的人民代表大会常务委员会可以根据本法和有关法律，结合本地实际情况，制定实施办法。

对需由省级人大常委会制定的实施办法的事项，有的在监督法中作了明确规定。如监督法第二十九条规定，县级以上地方各级人大常委会审查、撤销下一级人大及其常委会作出的不适当的决议、决定和本级人民政府发布的不适当的决定、命令的程序，由省级人大常委会参照立法法的有关规定，作出具体规定。对于一些其他监督事项，虽然监督法未作明示规定，但也需要由省级人大常委会根据本地的实际情况，作出具体的、细化的规定。

各地在作出规定或对原来的法规进行修改时，要注意从我国的国情和本地区的实际情况出发，考虑到与现阶段我国社会主义民主政治发展水平相适用，坚持正确的政治方向，把坚持党的领导、人民当家作主和依法治国有机统一起来。对符合监督法规定的要加以深化和细化，对与监督法规定和精神不一致的要及时做出调整。

第四十八条　本法自 2007 年 1 月 1 日起施行。

【释义】　本条是对本法生效时间的规定。

规定本法自 2007 年 1 月 1 日起施行，主要有以下几方面的考虑：第一，这些年来各地为加强人大常委会对本级人民政府、人民法院和人民检察院工作的监督，进行了积极的探索和实践。如一些地方对由常委会任命“一府两院”的领导人员进行述职评议，个别地方对人大代表和人民群众向人大常委会反映的涉法涉诉问题，进行个案监督，等等。虽然各地的做法不同，认识也不尽一致，但这些探索和实践，为制定监督法提供了有益的经验。在制定监督法的过程中，全国人大常委会经对不同做法反复比较、认真研究,认为从监督实效看,经验比较成熟、认识比较一致的做法是对人民政府、人民法院和人民检察院的专项工作进行评议。因此,监督法对述职评议、个案监督等未作规定。考虑到各地在2006年初已经对今年常委会监督工作的部署向本级人民代表大会作了报告,常委会须按大会批准的报告实施,为便于地方工作的衔接,2006年地方已对有关监督工作作出安排的,仍可以按原计划进行。从2007年起,各级人大常委会的监督工作必须按照本法和有关法律的规定进行,要将述职评议、个案监督转向专项工作监督。第二,从监督法通过到生效的这段时间,各级人大常委会要就监督法的实施进行宣传、培训,使各级人大以及党委、政府和“两院”的认识都统一到宪法、法律上来。第三,在这段时间内,各地要根据监督法对以前制定的有关监督方面的法规进行修改。各地要对原来的工作、有关地方性法规和工作文件等进行全面梳理,认真加以规范,实现平稳过渡,为实施监督法做好充分的准备,确保监督法得到全面正确实施。

在监督法颁布之前,全国人大常委会分别于1993年、1999年和2000年通过了《关于加强对法律实施情况检查监督的若干规定》、《关于加强中央预算审查监督的决定》以及《关于加强经济工作监督的决定》。上述三个文件中,有关全国人大常委会行使职权的主要程序已经吸收到监督法中,而全国人大常委会行使监督权的具体工作程序未纳入监督法。因此,监督法通过后,这三个文件不予废止,仍然有效,但其中与监督法不一致的规定,要以监督法的规定为准。

第二部分 附 录

中华人民共和国各级人民代表大会常务委员会监督法

（中华人民共和国第十届全国人民代表大会常务委员会第二十三次会议于2006年8月27日通过 2006年8月27日中华人民共和国主席令第五十三号公布 自2007年1月1日起施行）

目 录

第一章 总 则

第一条 为保障全国人民代表大会常务委员会和县级以上地方各级人民代表大会常务委员会依法行使监督职权,发展社会主义民主,推进依法治国,根据宪法,制定本法。

第二条 各级人民代表大会常务委员会依据宪法和有关法律的规定,行使监督职权。

各级人民代表大会常务委员会行使监督职权的程序,适用本法;本法没有规定的,适用有关法律的规定。

第三条 各级人民代表大会常务委员会行使监督职权,应当围绕国家工作大局,以经济建设为中心,坚持中国共产党的领导,坚持马克思列宁主义、毛泽东思想、邓小平理论和“三个代表”重要思想,坚持人民民主专政,坚持社会主义道路,坚持改革开放。

第四条 各级人民代表大会常务委员会按照民主集中制的原则,集体行使监督职权。

第五条 各级人民代表大会常务委员会对本级人民政府、人民法院和人民检察院的工作实施监督,促进依法行政、公正司法。

第六条 各级人民代表大会常务委员会行使监督职权的情况,应当向本级人民代表大会报告,接受监督。

第七条 各级人民代表大会常务委员会行使监督职权的情况,向社会公开。

第二章 听取和审议人民政府、人民法院和人民检察院的专项工作报告

第八条 各级人民代表大会常务委员会每年选择若干关系改革发展稳定大局和群众切身利益、社会普遍关注的重大问题,有计划地安排听取和审议本级人民政府、人民法院和人民检察院的专项工作报告。

常务委员会听取和审议专项工作报告的年度计划,经委员长会议或者主任会议通过,印发常务委员会组成人员并向社会公布。

第九条 常务委员会听取和审议本级人民政府、人民法院和人民检察院的专项工作报告的议题,根据下列途径反映的问题确定:

(一)本级人民代表大会常务委员会在执法检查中发现的突出问题;

(二)本级人民代表大会代表对人民政府、人民法院和人民检察院工作提出的建议、批评和意见集中反映的问题;

(三)本级人民代表大会常务委员会组成人员提出的比较集中的问题;

(四)本级人民代表大会专门委员会、常务委员会工作机构在调查研究中发现的突出问题;

（五）人民来信来访集中反映的问题；

（六）社会普遍关注的其他问题。

人民政府、人民法院和人民检察院可以向本级人民代表大会常务委员会要求报告专项工作。

第十条 常务委员会听取和审议专项工作报告前，委员长会议或者主任会议可以组织本级人民代表大会常务委员会组成人员和本级人民代表大会代表，对有关工作进行视察或者专题调查研究。

常务委员会可以安排参加视察或者专题调查研究的代表列席常务委员会会议，听取专项工作报告，提出意见。

第十一条 常务委员会听取和审议专项工作报告前，常务委员会办事机构应当将各方面对该项工作的意见汇总，交由本级人民政府、人民法院或者人民检察院研究并在专项工作报告中作出回应。

第十二条 人民政府、人民法院或者人民检察院应当在常务委员会举行会议的二十日前，由其办事机构将专项工作报告送交本级人民代表大会有关专门委员会或者常务委员会有关工作机构征求意见；人民政府、人民法院或者人民检察院对报告修改后，在常务委员会举行会议的十日前送交常务委员会。

常务委员会办事机构应当在常务委员会举行会议的七日前，将专项工作报告发给常务委员会组成人员。

第十三条 专项工作报告由人民政府、人民法院或者人民检察院的负责人向本级人民代表大会常务委员会报告，人民政府也可以委托有关部门负责人向本级人民代表大会常务委员会报告。

第十四条 常务委员会组成人员对专项工作报告的审议意见交由本级人民政府、人民法院或者人民检察院研究处理。人民政府、人民法院或者人民检察院应当将研究处理情况由其办事机构送交本级人民代表大会有关专门委员会或者常务委员会有关工作机构征求意见后,向常务委员会提出书面报告。常务委员会认为必要时,可以对专项工作报告作出决议;本级人民政府、人民法院或者人民检察院应当在决议规定的期限内,将执行决议的情况向常务委员会报告。

常务委员会听取的专项工作报告及审议意见,人民政府、人民法院或者人民检察院对审议意见研究处理情况或者执行决议情况的报告,向本级人民代表大会代表通报并向社会公布。

第三章 审查和批准决算,听取和审议国民经济和社会发展计划、预算的执行情况报告,听取和审议审计工作报告

第十五条 国务院应当在每年六月,将上一年度的中央决算草案提请全国人民代表大会常务委员会审查和批准。

县级以上地方各级人民政府应当在每年六月至九月期间,将上一年度的本级决算草案提请本级人民代表大会常务委员会审查和批准。

决算草案应当按照本级人民代表大会批准的预算所列科目编制,按预算数、调整数或者变更数以及实际执行数分别列出,并作出说明。

第十六条 国务院和县级以上地方各级人民政府应当在每年六月至九月期间,向本级人民代表大会常务委员会报告本年

度上一阶段国民经济和社会发展计划、预算的执行情况。

第十七条　国民经济和社会发展计划、预算经人民代表大会批准后，在执行过程中需要作部分调整的，国务院和县级以上地方各级人民政府应当将调整方案提请本级人民代表大会常务委员会审查和批准。

严格控制不同预算科目之间的资金调整。预算安排的农业、教育、科技、文化、卫生、社会保障等资金需要调减的，国务院和县级以上地方各级人民政府应当提请本级人民代表大会常务委员会审查和批准。

国务院和县级以上地方各级人民政府有关主管部门应当在本级人民代表大会常务委员会举行会议审查和批准预算调整方案的一个月前，将预算调整初步方案送交本级人民代表大会财政经济委员会进行初步审查，或者送交常务委员会有关工作机构征求意见。

第十八条　常务委员会对决算草案和预算执行情况报告，重点审查下列内容：

（一）预算收支平衡情况；

（二）重点支出的安排和资金到位情况；

（三）预算超收收入的安排和使用情况；

（四）部门预算制度建立和执行情况；

（五）向下级财政转移支付情况；

（六）本级人民代表大会关于批准预算的决议的执行情况。

除前款规定外，全国人民代表大会常务委员会还应当重点审查国债余额情况；县级以上地方各级人民代表大会常务委员会还应当重点审查上级财政补助资金的安排和使用情况。

第十九条 常务委员会每年审查和批准决算的同时，听取和审议本级人民政府提出的审计机关关于上一年度预算执行和其他财政收支的审计工作报告。

第二十条 常务委员会组成人员对国民经济和社会发展计划执行情况报告、预算执行情况报告和审计工作报告的审议意见交由本级人民政府研究处理。人民政府应当将研究处理情况向常务委员会提出书面报告。常务委员会认为必要时，可以对审计工作报告作出决议；本级人民政府应当在决议规定的期限内，将执行决议的情况向常务委员会报告。

常务委员会听取的国民经济和社会发展计划执行情况报告、预算执行情况报告和审计工作报告及审议意见，人民政府对审议意见研究处理情况或者执行决议情况的报告，向本级人民代表大会代表通报并向社会公布。

第二十一条 国民经济和社会发展五年规划经人民代表大会批准后，在实施的中期阶段，人民政府应当将规划实施情况的中期评估报告提请本级人民代表大会常务委员会审议。规划经中期评估需要调整的，人民政府应当将调整方案提请本级人民代表大会常务委员会审查和批准。

第四章 法律法规实施情况的检查

第二十二条 各级人民代表大会常务委员会参照本法第九条规定的途径，每年选择若干关系改革发展稳定大局和群众切身利益、社会普遍关注的重大问题，有计划地对有关法律、法规实施情况组织执法检查。

第二十三条 常务委员会年度执法检查计划，经委员长会议或者主任会议通过,印发常务委员会组成人员并向社会公布。

常务委员会执法检查工作由本级人民代表大会有关专门委员会或者常务委员会有关工作机构具体组织实施。

第二十四条 常务委员会根据年度执法检查计划,按照精干、效能的原则,组织执法检查组。

执法检查组的组成人员,从本级人民代表大会常务委员会组成人员以及本级人民代表大会有关专门委员会组成人员中确定,并可以邀请本级人民代表大会代表参加。

第二十五条 全国人民代表大会常务委员会和省、自治区、直辖市的人民代表大会常务委员会根据需要,可以委托下一级人民代表大会常务委员会对有关法律、法规在本行政区域内的实施情况进行检查。受委托的人民代表大会常务委员会应当将检查情况书面报送上一级人民代表大会常务委员会。

第二十六条 执法检查结束后,执法检查组应当及时提出执法检查报告,由委员长会议或者主任会议决定提请常务委员会审议。

执法检查报告包括下列内容:

(一)对所检查的法律、法规实施情况进行评价,提出执法中存在的问题和改进执法工作的建议;

(二)对有关法律、法规提出修改完善的建议。

第二十七条 常务委员会组成人员对执法检查报告的审议意见连同执法检查报告,一并交由本级人民政府、人民法院或者人民检察院研究处理。人民政府、人民法院或者人民检察院应当将研究处理情况由其办事机构送交本级人民代表大会有关专门委员会或者常务委员会有关工作机构征求意见后,向常务委员会提出报告。必要时，由委员长会议或者主任会议决定提请常务委员会审议，或者由常务委员会组织跟踪检查；常务委员会也可以委托本级人民代表大会有关专门委员会或者常务委员会有关工作机构组织跟踪检查。

常务委员会的执法检查报告及审议意见，人民政府、人民法院或者人民检察院对其研究处理情况的报告，向本级人民代表大会代表通报并向社会公布。

第五章　规范性文件的备案审查

第二十八条　行政法规、地方性法规、自治条例和单行条例、规章的备案、审查和撤销，依照立法法的有关规定办理。

第二十九条　县级以上地方各级人民代表大会常务委员会审查、撤销下一级人民代表大会及其常务委员会作出的不适当的决议、决定和本级人民政府发布的不适当的决定、命令的程序，由省、自治区、直辖市的人民代表大会常务委员会参照立法法的有关规定，作出具体规定。

第三十条　县级以上地方各级人民代表大会常务委员会对下一级人民代表大会及其常务委员会作出的决议、决定和本级人民政府发布的决定、命令，经审查，认为有下列不适当的情形之一的，有权予以撤销：

（一）超越法定权限，限制或者剥夺公民、法人和其他组织的合法权利，或者增加公民、法人和其他组织的义务的；

（二）同法律、法规规定相抵触的；

（三）有其他不适当的情形，应当予以撤销的。

第三十一条　最高人民法院、最高人民检察院作出的属于审判、检察工作中具体应用法律的解释，应当自公布之日起三十日内报全国人民代表大会常务委员会备案。

第三十二条　国务院、中央军事委员会和省、自治区、直辖市的人民代表大会常务委员会认为最高人民法院、最高人民检察院作出的具体应用法律的解释同法律规定相抵触的，最高人民法院、最高人民检察院之间认为对方作出的具体应用法律的解释同法律规定相抵触的，可以向全国人民代表大会常务委员会书面提出进行审查的要求，由常务委员会工作机构送有关专门委员会进行审查、提出意见。

前款规定以外的其他国家机关和社会团体、企业事业组织以及公民认为最高人民法院、最高人民检察院作出的具体应用法律的解释同法律规定相抵触的，可以向全国人民代表大会常务委员会书面提出进行审查的建议，由常务委员会工作机构进行研究，必要时，送有关专门委员会进行审查、提出意见。

第三十三条　全国人民代表大会法律委员会和有关专门委员会经审查认为最高人民法院或者最高人民检察院作出的具体应用法律的解释同法律规定相抵触，而最高人民法院或者最高人民检察院不予修改或者废止的，可以提出要求最高人民法院或者最高人民检察院予以修改、废止的议案，或者提出由全国人民代表大会常务委员会作出法律解释的议案，由委员长会议决定提请常务委员会审议。

第六章　询问和质询

第三十四条　各级人民代表大会常务委员会会议审议议案和有关报告时，本级人民政府或者有关部门、人民法院或者人民检察院应当派有关负责人员到会，听取意见，回答询问。

第三十五条　全国人民代表大会常务委员会组成人员十人以上联名，省、自治区、直辖市、自治州、设区的市人民代表大会常务委员会组成人员五人以上联名，县级人民代表大会常务委员会组成人员三人以上联名，可以向常务委员会书面提出对本级人民政府及其部门和人民法院、人民检察院的质询案。

质询案应当写明质询对象、质询的问题和内容。

第三十六条　质询案由委员长会议或者主任会议决定交由受质询的机关答复。

委员长会议或者主任会议可以决定由受质询机关在常务委员会会议上或者有关专门委员会会议上口头答复，或者由受质询机关书面答复。在专门委员会会议上答复的，提质询案的常务委员会组成人员有权列席会议，发表意见。委员长会议或者主任会议认为必要时，可以将答复质询案的情况报告印发常务委员会会议。

第三十七条　提质询案的常务委员会组成人员的过半数对受质询机关的答复不满意的，可以提出要求，经委员长会议或者主任会议决定，由受质询机关再作答复。

第三十八条　质询案以口头答复的，由受质询机关的负责人到会答复。质询案以书面答复的，由受质询机关的负责人签署。

第七章　特定问题调查

第三十九条　各级人民代表大会常务委员会对属于其职权范围内的事项，需要作出决议、决定，但有关重大事实不清的，可以组织关于特定问题的调查委员会。

第四十条　委员长会议或者主任会议可以向本级人民代表大会常务委员会提议组织关于特定问题的调查委员会，提请常务委员会审议。

五分之一以上常务委员会组成人员书面联名，可以向本级人民代表大会常务委员会提议组织关于特定问题的调查委员会，由委员长会议或者主任会议决定提请常务委员会审议，或者先交有关的专门委员会审议、提出报告，再决定提请常务委员会审议。

第四十一条　调查委员会由主任委员、副主任委员和委员组成，由委员长会议或者主任会议在本级人民代表大会常务委员会组成人员和本级人民代表大会代表中提名，提请常务委员会审议通过。调查委员会可以聘请有关专家参加调查工作。

与调查的问题有利害关系的常务委员会组成人员和其他人员不得参加调查委员会。

第四十二条　调查委员会进行调查时，有关的国家机关、社会团体、企业事业组织和公民都有义务向其提供必要的材料。

提供材料的公民要求对材料来源保密的，调查委员会应当予以保密。

调查委员会在调查过程中，可以不公布调查的情况和材料。

第四十三条　调查委员会应当向产生它的常务委员会提出调查报告。常务委员会根据报告，可以作出相应的决议、决定。

第八章　撤职案的审议和决定

第四十四条　县级以上地方各级人民代表大会常务委员会

在本级人民代表大会闭会期间，可以决定撤销本级人民政府个别副省长、自治区副主席、副市长、副州长、副县长、副区长的职务；可以撤销由它任命的本级人民政府其他组成人员和人民法院副院长、庭长、副庭长、审判委员会委员、审判员，人民检察院副检察长、检察委员会委员、检察员，中级人民法院院长，人民检察院分院检察长的职务。

第四十五条　县级以上地方各级人民政府、人民法院和人民检察院，可以向本级人民代表大会常务委员会提出对本法第四十四条所列国家机关工作人员的撤职案。

县级以上地方各级人民代表大会常务委员会主任会议，可以向常务委员会提出对本法第四十四条所列国家机关工作人员的撤职案。

县级以上地方各级人民代表大会常务委员会五分之一以上的组成人员书面联名，可以向常务委员会提出对本法第四十四条所列国家机关工作人员的撤职案，由主任会议决定是否提请常务委员会会议审议；或者由主任会议提议，经全体会议决定，组织调查委员会，由以后的常务委员会会议根据调查委员会的报告审议决定。

第四十六条　撤职案应当写明撤职的对象和理由，并提供有关的材料。

撤职案在提请表决前，被提出撤职的人员有权在常务委员会会议上提出申辩意见，或者书面提出申辩意见，由主任会议决定印发常务委员会会议。

撤职案的表决采用无记名投票的方式，由常务委员会全体组成人员的过半数通过。

第九章　附　　则

第四十七条　省、自治区、直辖市的人民代表大会常务委员会可以根据本法和有关法律,结合本地实际情况,制定实施办法。

第四十八条　本法自2007年1月1日起施行。

全国人大法律委员会关于《中华人民共和国全国人民代表大会和地方各级人民代表大会监督法(草案)》修改情况的汇报

(2004 年 8 月 23 日在第十届全国人民代表大会常务委员会第十一次会议上)

全国人大法律委员会主任委员　杨景宇

全国人民代表大会常务委员会:

现就监督法草案的起草、审议和修改情况汇报如下:

一、监督法草案的起草过程

监督法的起草工作早在六届全国人大期间就已开始酝酿,并在总结各级人大及其常委会开展监督工作经验的基础上,提出了加强人大及其常委会监督工作的初步意见。之后,七届、八届全国人大常委会都将制定监督法列入工作要点或者立法规划，成立起草工作班子，开展研究起草工作，并拟出了草稿或者内部试拟稿。结果，都是由于在立法条件、立法时机和制定这部法律所涉及的重大问题上有不同意见，起草工作两次搁置。

九届全国人大组成后，监督法再次列入九届全国人大常委会立法规划，组成新的起草工作班子，在前三届工作的基础上开始第三轮起草工作。在此期间，全国人大常委会于 1999 年 12 月通过了关于加强中央预算审查监督的决定，2000 年 2 月通过了关于加强经济工作监督的决定，还两次审议了对审判、检察工作中重大违法案件监督的决定草案（后将有关内容写入了监督法草案）。经过三年多的研究起草工作，拟出了监督法草案。2002 年 8 月，九届全国人大常委会委员长会议决定将监督法草案提请常委会审议。

监督法草案从 1986 年开始酝酿，历经第六、七、八、九届四届常委会，到 2002 年 8 月提请常委会初审，前后用了 16 年时间。由此可见，这部法律在起草过程中遇到了不少难以回避的难题。

二、对监督法草案的主要分歧意见

九届全国人大常委会第二十九次会议对监督法草案进行了初步审议。会后，法制工作委员会将草案印发中央有关部门、地方人大常委会和部分法学教学研究单位，征求意见。在审议和征求意见过程中，各方面都赞成草案规定的各级人大及其常委会开展监督工作应当遵循的原则：一是坚持中国共产党的领导；二是依照宪法和法律规定的权限和程序进行监督；三是按照民主集中制的原则,集体行使监督职权;四是监督同级人民政府、人民法院、人民检察院的工作,但不代替“一府两院”依法行使职权,而是监督、督促和支持“一府两院”更好地依法行使职权。但是,无论对草案的总体看法,还是在几个重大问题上,意见分歧较大,因而一直未能再次提请常委会审议。

对草案的总体看法,大体上有两种:一种是对草案不满意,认为草案基本上是对宪法和法律有关规定的汇总,新的内容不多。特别是草案没有充分反映地方人大及其常委会这些年来在开展监督工作方面的经验和做法,与地方人大及常委会的期望值差距甚大。如果出台这样一部监督法,不仅不能推动地方人大及其常委会监督工作的开展,反而会影响地方人大及其常委会在监督工作方面的探索。再一种是认为制定监督法的条件、时机尚不成熟。这些年来,特别是根据党的十六大精神,政治体制改革一直在积极稳妥地推进,涉及改革和完善党的领导方式和执政方式、干部人事制度改革、司法体制改革、对权力的制约和监督等问题。解决这些问题,都需要有一个过程。宪法和有关法律对人大及常委会对“一府两院”进行法律监督和工作监督的职权、方式和基本程序都有规定,这些年没有监督法,并没有影响人大及其常委会依法开展监督工作。

在制定监督法牵涉的几个重大问题上,也是一直有不同意见。

一是关于述职评议。上个世纪八十年代中期以来,一些地方人大常委会结合本地实际情况,相继开展了对人大及其常委会选举和任命的“一府两院”工作人员的述职评议。考虑到从总体上来看,地方开展述职评议工作还处于探索、试验过程中,草案对述职评议未作规定。对此,有两种意见:一种意见认为,述职评议是人大常委会监督由人大及其常委会选举和任命的干部的一种方式,为了促进干部依法办事、廉洁自律,监督法应予肯定。另一种意见认为,述职评议是一些地方人大常委会在实践中的一种新做法,至今还处于探索阶段,而且各地情况不同、做法不一,在法律中作出统一规定的条件尚不成熟。因此,还是不作规定为好。

二是关于个案监督。草案第五十八条规定:"人民代表大会专门委员会可以决定将有关案件向有关审判、检察机关初步询问核实。专门委员会认为必要时,可以提请人民代表大会常务委员会委员长会议或者主任会议决定,将有关案件交审判、检察机关处理,并要求报告办理结果;专门委员会研究后对办理结果不满意的,可以向委员长会议或者主任会议报告情况,并提出处理建议。"对此,有两种意见:一种意见认为,人大常委会对具体案件进行监督,介入司法机关认定事实、适用法律的具体办案活动,实际上是代行审判权和检察权,不符合宪法规定的国家权力机关与审判机关、检察机关的职权分工。同时,一些地方人大常委会进行个案监督,主要通过专门委员会和人大常委会主任会议的形式,不符合人大常委会集体行使职权的原则。人大常委会不可能像审判、检察人员那样,经过全面审查证据,亲历整个诉讼过程,最后作出决定,因而对案件也就难以做出准确判断。人大常委会对个案进行监督,如果出现错案,再由谁来监督,由谁承担责任,也是难以解决的问题。另一种意见认为,宪法规定人大常委会监督法院和检察院的工作,而"两院"的工作就是办理具体案件,对"两院"工作的监督离不开对具体案件的监督,否则工作监督就会落空。从现实情况看,司法不公、司法腐败现象在一些地方很严重,为了促进公正司法,对“两院”加强监督是必要的。草案对这些年来一些地方人大常委会在个案监督方面的做法和经验肯定得不够,内容不具体,程序不明确,授权不充分,不能适应地方人大常委会开展个案监督的需要,应进一步具体化。

三是关于对重大建设项目的决定。草案第四十四条规定,对涉及面广、影响深远、投资巨大的国家特别重大建设项目,国务院可以向全国人大或者全国人大常委会提出议案,由全国人大或者全国人大常委会审议并作出决定;或者由全国人大常委会听取国务院关于该建设项目的报告。草案对地方人大及其常委会审议决定重大建设项目的问题,未作规定。对此,有两种意见:一种意见认为,县级以上地方各级人大及其常委会也应有权审议决定本行政区域内重大建设项目,为了便于操作,监督法应对重大建设项目的范围作出具体界定。另一种意见认为,我国各地的经济、文化、社会发展很不平衡,情况千差万别,重大建设项目涉及的问题往往很复杂,专业性很强,法律很难规定统一的标准,人大及其常委会也难以审议决定。

三、对监督法草案的主要修改意见

立法法第三十九条规定,列入常委会会议审议的法律案,因各方面对制定该法律的必要性、可行性等重大问题存在较大意见分歧搁置审议满两年的,或者因暂不付表决经过两年没有再次列入常委会会议议程审议的,由委员长会议向常委会报告,该法律案终止审议。据此,如何妥善处理列入 2002 年 8 月常委会会议议程审议后一直未再审议的监督法草案,成为本届常委会需要解决的紧迫问题。遵照常委会领导的指示精神,本届法律委员会根据上届常委会组成人员的审议意见和各方面的意见,对监督法草案反复进行了认真研究。为了慎重起见,在常委会于今年5月在上海举办宪法学习培训班期间,专门听取了参加学习的各省(区、市)人大常委会负责同志的意见。各地方的一致意见,主要有两点:一是,监督法草案既然已经初审,就不能轻易让它自动终止,否则,影响不好,对地方人大及其常委会探索、研究如何有效地开展监督工作也会产生负面影响。二是,建议对草案作适当修改后,重新启动审议程序,对有分歧意见的问题可以继续调查研究、总结经验。根据上海座谈会的意见,法律委员会经研究,就实践经验比较成熟、意见比较一致的几个问题,对草案提出以下修改意见:

(一)草案第三条对监督工作应当遵循的基本原则作了规定。今年3月14日,十届全国人大第二次会议通过的宪法修正案,确立了“三个代表”重要思想在国家政治和社会生活中的指导地位。据此,法律委员会建议将这一条修改为:“监督工作应当遵循宪法的基本原则,以经济建设为中心,坚持社会主义道路、坚持人民民主专政、坚持中国共产党的领导、坚持马克思列宁主义毛泽东思想邓小平理论和‘三个代表’重要思想,坚持改革开放。”

(二)草案第十一条规定:“对本法第十条规定报全国人民代表大会常务委员会备案的规范性文件的审查,依照《中华人民共和国立法法》第九十条、第九十一条的规定执行。”有些常委委员和地方提出,按照这一规定,只有国家机关和社会团体、企业事业组织以及公民提出审查要求或者建议之后，才启动审查。为了保证宪法和法律的实施，维护社会主义法制的统一和尊严，如果宪法和法律实施中出现的问题涉及本法规定应报送备案的规范性文件，即使没有人提出审查要求或者建议，也应进行审查。法律委员会经研究，建议将这一条修改为："国家机关和社会团体、企业事业组织以及公民认为本法第十条规定报全国人民代表大会常务委员会备案的规范性文件同宪法或者法律相抵触，向全国人民代表大会常务委员会书面提出进行审查的要求或者建议的，其审查程序依照《中华人民共和国立法法》第九十条、第九十一条的规定执行。""宪法和法律实施中的问题，涉及本法第十条规定报全国人民代表大会常务委员会备案的规范性文件是否同宪法或者法律相抵触的，委员长会议可以决定将有关规范性文件交由有关专门委员会进行审查。"

（三）草案第十五条中规定，各级人大常委会"执法检查组的组成人员，由委员长会议或者主任会议从本级常务委员会组成人员中确定"。有些常委委员和地方提出，在实践中，人大常委会执法检查组的组成人员并不限于本级人大常委会组成人员，还吸收一些本级人大代表参加，应当肯定这一做法，以更好地发挥代表的作用。法律委员会经研究，建议将这一条修改为："全国人民代表大会常务委员会和县级以上地方各级人民代表大会常务委员会，根据年度执法检查计划和实际需要，本着精干、效能、便于活动的原则，组织执法检查组。执法检查组的组成人员，由委员长会议或者主任会议从本级常务委员会组成人员中确定；必要时，可以邀请本级人民代表大会代表参加。"

（四）草案第五十四条规定："全国人民代表大会常务委员会

和县级以上地方各级人民代表大会常务委员会每年听取和审议本级人民政府提出的审计机关关于预算执行和其他财政收支的审计工作报告。”有些常委委员和地方提出，听取审计工作报告对于审查和批准决算，具有重要作用。审查和批准决算，应当同时听取审计工作报告。这也是全国人大常委会和一些地方人大常委会的实际做法。此外，还应规定，对于审计中发现的问题，常委会可以作出相应的决议。法律委员会经研究，建议将这一条修改为：“全国人民代表大会常务委员会和县级以上地方各级人民代表大会常务委员会每年审查和批准决算的同时，听取和审议本级人民政府提出的审计机关关于预算执行和其他财政收支的审计工作报告。常务委员会认为必要时，可以就审计工作报告作出决议。”

（五）草案第六十三条、六十四条对质询案的处理程序作了规定，其中规定质询案由主席团或者主席团常务主席、委员长会议或者主任会议决定是否要求受质询的机关给予答复。有些常委委员和地方提出，全国人大组织法、全国人大及其常委会议事规则、地方组织法明确规定，质询案提出后，由主席团、委员长会议或者主任会议决定交由受质询机关答复，而不是决定是否要求受质询机关答复，是否要求答复与要求答复是不一样的。法律委员会经研究，建议将第六十三条第一款、第二款中的“由主席团或者主席团常务主席决定是否要求受质询的机关给予答复，包括听取答复的方式和范围”修改为“由主席团决定交由受质询的机关给予答复，包括答复的范围和方式”。并相应地将第六十四条中“由委员长会议或者主任会议决定是否要求受质询的机关给予答复，包括听取答复的范围和方式”修改为“由委员长会议或者主任会议决定交由受质询的机关给予答复，包括答复的范围和方式”。

（六）草案第七十一条对罢免案的处理程序作了原则规定。有些常委委员和地方提出，罢免和撤职是人大及其常委会行使监督权的重要手段，草案的规定过于简单，内容也不完整。草案对撤职案的提出和处理程序则未作规定，实践中不便操作。根据地方组织法的规定，县级以上地方各级人大常委会可以撤销由它决定任命的国家工作人员，监督法草案应当增加有关撤职的规定并具体规定撤职的程序。法律委员会经研究，建议将第六章“质询、特定问题调查”改为“质询、特定问题调查、罢免和撤职”，并增加“罢免和撤职”一节，作为第六章的第三节，根据宪法、有关法律，对罢免案的提出、处理和表决作出具体规定，并对撤职案的提出、处理和表决作出具体规定。

此外，还对草案作了一些文字修改。

监督法草案二次审议稿已按上述意见作了修改，请本次常委会会议予以审议。

法律委员会认为，制定监督法，涉及不少重大、复杂问题。其中，述职评议涉及人大监督与党管干部的关系；个案监督涉及人大监督与司法机关依法独立办案的关系；决定重大建设项目涉及人大及其常委会与政府的职权分工。在这些问题上，至今意见分歧仍然很大，难以统一认识，需要从我国的实际出发，在党的领导下，在深化政治体制改革、建设社会主义政治文明进程中，进一步实践探索、总结经验、深入研究。

监督法草案二次审议稿和以上汇报是否妥当，请审议。

全国人大法律委员会关于《中华人民共和国全国人民代表大会和地方各级人民代表大会监督法(草案)》修改情况的汇报

(2006 年 6 月 24 日在第十届全国人民代表大会常务委员会第二十二次会议上)

全国人大法律委员会副主任委员　乔晓阳

全国人民代表大会常务委员会:

现就监督法(草案)修改情况汇报如下:

一、修改的基本情况

监督法(草案)于 2002 年 8 月提请九届全国人大常委会第二十九次会议初次审议,2004 年 8 月十届全国人大常委会第十一次会议再次进行了审议。从审议和各方面反映的情况看,大家认为，立法和监督是宪法赋予人大的两项重要职权。这两项职权的行使，都需要有相应的法律使之规范化、程序化。对立法权的行使，立法法已经作了规定。对监督权的行使，这些年各级人大常委会进行了积极的探索和实践，积累了有益的经验，但至今还缺乏统一的法律规范。因此，制定监督法，对于人大依法履行监督职权，加强监督工作，促进依法行政、公正司法，是必要的。同时，常委会组成人员和各方面对草案也提出了不少修改意见，在有的重要问题上，意见分歧还比较大，大家希望并建议对草案进一步修改完善，争取早日出台。

法律委员会、法制工作委员会对常委会组成人员的审议意见和各方面的意见进行了认真研究，并于去年上半年召开三个座谈会，分别邀请各省（区、市）的人大常委会负责同志和部分党委组织部、政府、法院、检察院有关负责同志参加，就草案几个主要问题座谈讨论，还到部分市、县进行调研，进一步听取各方面的意见。在此基础上，吴邦国委员长于去年10月29日主持召开7省人大常委会负责人座谈会，在听取意见后，对草案修改工作发表了重要意见。胡锦涛总书记在今年"两会"期间所作重要讲话中对加强人大监督工作作了深刻阐述。我们经对各方面的意见进行汇总研究，对监督法（草案）作了较大修改，形成了草案修改稿。今年4月、5月，王兆国、盛华仁副委员长主持召开四个座谈会，分别听取各省（区、市）人大常委会负责同志和中组部、国务院办公厅、国务院法制办、人事部、发改委、财政部、审计署、最高人民法院、最高人民检察院的负责同志以及全国人大常委会部分委员对草案修改稿的意见。法律委员会、法制工作委员会认真研究了几个座谈会上提出的具体修改意见，对草案修改稿进一步作了修改,形成了现在提请审议的监督法(草案三次审议稿)。

二、修改的总的原则

这次修改监督法(草案),总的原则是:按照1990年党的十三届六中全会《关于加强党同人民群众联系的决定》提出的"建议全国人大常委会拟定实行工作监督和法律监督的监督法"的要求,以邓小平理论和"三个代表"重要思想为指导,贯彻党的十六大,十六届三中、四中、五中全会精神,以宪法为依据,坚持中国特色社会主义政治发展道路,把坚持党的领导、人民当家作主和依法治国有机统一起来。坚持从我国国情和实际出发,区别不同情况对草案加以修改完善:实践经验比较成熟的,加以深化、细化,作出具体规定;实践经验尚不成熟,又需要作规定的,作出原则规定,为进一步改革留下空间;缺乏实践经验,各方面的意见又不一致的,暂不作规定,待条件成熟时再作补充完善。

根据以上原则,这次修改监督法(草案)的主要考虑有三点:

(一)将本法的调整范围确定为规范人大常委会的监督工作,相应地将草案的名称《中华人民共和国全国人民代表大会和地方各级人民代表大会监督法(草案)》修改为《中华人民共和国全国人民代表大会常务委员会和县级以上地方各级人民代表大会常务委员会监督法(草案)》。这里,需要说明两点:一是,各级人大和县级以上各级人大常委会都有对"一府两院"的监督权,但人民代表大会与人大常委会的具体监督职权有所不同。人民代表大会主要是听取和审议"一府两院"的工作报告,审查和批准国民经济和社会发展计划与计划执行情况的报告、预算与预算执行情况的报告，从广义的监督来看，审议工作报告，有赞成的意见，有批评的意见，也是监督；审查计划、预算，最后要决定、要批准，就包括了监督。但是，各级人大每年通常只开一次会，不可能对"一府两院"工作实施经常性的监督。按照宪法有关规定，对"一府两院"工作实施经常性监督的职权是由人大常委会行使的。二是，这些年各地方为加强人大监督工作所进行的探索和需要加以规范的，也集中在如何加强和完善人大常委会对"一府两院"工作的监督问题上。因此，这次修改，确定本法只规范人大常委会的监督工作，较为切合实际。

（二）完善人大常委会对"一府两院"工作实施监督的形式和程序。这里，需要说明两点：一是，宪法和有关法律已经赋予人大常委会对"一府两院"工作的监督权，监督法不需要赋予其新的监督权。二是，实践中的突出问题是监督的形式和程序不够完善，而各地方在探索中的做法又不尽一致，迫切需要通过立法加以规范、引导。针对这种情况，这次修改着眼于增强监督实效，着重将人大常委会对"一府两院"工作的监督进一步规范化、程序化。

（三）处理好本法与宪法和有关法律的衔接。原草案大部分内容是对宪法和法律有关规定的汇总。这次修改，在总结实践经验的基础上，力求对监督的形式和程序作出切合实际、比较全面的规定，对宪法和有关法律已有的规定原则上只作衔接性的规定，不都照抄照搬。这样，既可以增强针对性、可操作性，也比较简明扼要。

三、修改的主要内容

草案三次审议稿对原草案的框架结构和内容作了调整，共分9章48条(比原草案77条减少了29条),包括以下内容:一是人大常委会行使监督权的原则;二是听取和审议“一府两院”的专项工作报告;三是对计划、预算执行情况的监督;四是执法检查;五是规范性文件的备案审查;六是询问和质询、特定问题调查、审议和决定撤职案。

(一)关于人大常委会行使监督权的原则

准确把握人大常委会行使监督权的原则,对于坚持中国特色社会主义政治发展道路,正确行使宪法赋予的监督职权,做到既不失职、又不越权,是至关重要的。依据宪法和有关法律的规定,经对常委会组成人员的审议意见和各方面的意见进行认真研究,总结实践经验,草案三次审议稿在肯定原草案有关规定的基础上,加以补充完善,明确规定人大常委会行使监督职权遵循下列原则:一是应当以经济建设为中心,在中国共产党的领导下,在马克思列宁主义、毛泽东思想、邓小平理论和“三个代表”重要思想指引下,坚持社会主义道路,坚持人民民主专政,坚持改革开放;二是依据宪法和有关法律的规定,行使监督职权;三是按照民主集中制的原则,集体行使监督职权;四是对本级政府、法院、检察院的工作实施监督,促进依法行政、公正司法。

(二)关于对政府工作的监督

这些年各地方为加强人大常委会对政府工作的监督进行了积极的探索和实践,但做法不同,认识也不一致。不同形式、不同内容的监督实践,都为修改好、完善好监督法(草案)提供了有益的经验。经对不同做法反复比较、认真研究,从监督实效看,经验比较成熟、认识比较一致的做法是对政府专项工作进行评议。实践证明,紧紧围绕关系改革发展稳定大局和群众切身利益的问题（如“三农”问题、义务教育、环境保护、安全生产、拆迁补偿等），开展对政府专项工作的评议，社会各界普遍关注，常委会组成人员也都比较熟悉，能提出不少中肯的意见和建议，评议有深度，可以增强人大监督工作的针对性和实效性。同时，评议专项工作，把对有关主管领导干部的工作业绩和存在问题寓于其中，实际上也体现了对他们的监督。将评议意见转送主管干部的部门，有助于对干部的考察。因此，草案三次审议稿对人大常委会监督政府专项工作作了规范化、程序化的规定，体现以下几个特点：

1. 突出人大常委会听取和审议政府专项工作报告这种主要监督形式。草案三次审议稿规定：人大常委会每年选择若干关系改革发展稳定大局和群众切身利益、社会普遍关注的重大问题，有计划地安排听取和审议本级政府的专项工作报告。

2. 突出人大常委会对政府工作进行监督应当直接反映人大代表和人民群众普遍要求解决的问题。草案三次审议稿规定：常委会根据下列途径反映的问题，确定听取和审议本级政府专项工作报告：(1)本级人大代表提出的建议、批评和意见比较集中的问题；(2)本级人大常委会组成人员提出的比较集中的问题；(3)本级人大专门委员会、本级人大常委会工作机构在执法检查、调查研究中发现的突出问题；(4)人民来信来访集中反映的问题；(5)社会普遍关注的其他问题。同时规定，政府也可以向本级人大常委会要求报告专项工作。常委会每次听取和审议专项工作报告前，将议题向社会公布，并将各方面的意见加以汇总，交由本级政府研究，要求其在专项工作报告中有针对性地作出回应。

3. 突出监督实效。草案三次审议稿规定：常委会组成人员对专项工作报告的审议意见交由本级政府研究处理，并将研究处理情况向常委会提出书面报告；常委会认为必要时，可以作出决议，要求本级政府在规定期限内，将执行决议的情况向常委会书面报告。

按照这些规定执行，要求人大常委会更加关注人民群众关心的问题，更好地行使监督权，使监督工作更有深度、更有实效。有针对性地开展经常性的专项工作评议，直至问题得到切实解决，人大常委会的工作量不是减少了，而是增加了；对人大常委会工作的要求不是降低了，而是更高了。

（三）关于对法院、检察院工作的监督

这些年各地方为加强人大常委会对本级法院、检察院工作的监督，进行了探索和实践。在这个问题上，关键是要处理好人大监督与法院、检察院依法独立行使审判权、检察权的关系。我国的政体是人民代表大会制度，在人民代表大会统一行使国家权力的前提下，对行政机关、审判机关、检察机关的职权又有明确划分，它们分工不同，目标是完全一致的。依据宪法和有关法律的规定，法院、检察院依法独立行使审判权、检察权；人大是国家权力机关，不是审判机关和检察机关，人大常委会对“两院”工作的监督，主要是通过听取和审议“两院”专项工作报告、执法检查等形式，督促司法机关完善内部监督制度，重点解决审判工作、检察工作中群众反映强烈、带有共性的问题，如告状难、执行难、赔偿难、刑讯逼供、超期羁押、错案不纠、司法不公等，促进公正司法。这样做，既能发挥人大常委会依法监督“两院”工作的职能，增强监督实效，又能保障法院、检察院依法独立行使审判权、检察权。因此，草案三次审议稿将听取和审议法院、检察院的专项工作报告同听取和审议政府的专项工作报告写入第二章“听取和审议人民政府、人民法院和人民检察院的专项工作报告”，一并作出规定。至于人大代表和人民群众向人大常委会反映的涉法涉诉问题，从各地方的实际做法看，有些由人大专门委员会或者人大常委会工作机构，有些由主任会议或者分管副主任转交“两院”依法处理，作为启动“两院”内部监督机制的一个渠道，起了积极作用。这样做是可以的，但不等于人大常委会集体行使对“两院”工作的监督职权，而是属于处理涉法涉诉的工作问题，监督法对此可以不作规定。

（四）关于对计划、预算执行情况的监督

监督计划、预算执行情况，是人大常委会对政府工作进行监督的重要内容。草案三次审议稿根据这些年各级人大常委会在这方面进行的探索和积累的经验，按照突出重点、增强实效的要求，在同预算法、审计法和关于加强中央预算审查监督的决定、关于加强经济工作监督的决定相衔接的基础上，主要增加规定了以下内容：

1. 常委会对决算草案和预算执行情况报告，重点审查下列内容：（1）预算收支平衡情况；（2）重点支出安排和资金到位情况；（3）预算超收收入的安排和使用情况；（4）部门预算制度建立和执行情况；（5）本级人大关于批准预算的决议执行情况。同时，区别中央与地方的不同情况，全国人大常委会还应当重点审查转移支付情况，地方人大常委会还应当重点审查上级财政专项补助资金的安排和使用情况。

2. 常委会每年审查和批准决算的同时，听取和审议本级政府提出的审计机关关于前一年度预算执行和其他财政收支的审计工作报告。常委会组成人员对审计工作报告的审议意见交由本级政府研究处理，并将研究处理情况向常委会提出书面报告。常委会认为必要时，可以对审计工作报告作出决议，本级政府应当在决议规定的期限内，将执行决议的情况向常委会书面报告。

3. 根据“十一五”规划纲要的规定，增加规定：国民经济和社会发展五年规划经人大批准后，在实施的中期阶段，政府应当将规划实施情况的中期评估报告提请本级人大常委会审议。规划经中期评估需要调整的，政府应当将调整方案提请本级人大常委会审查和批准。

（五）关于执法检查

依据宪法和有关法律的规定，人大常委会负有保证宪法和法律、法规的遵守和执行的职责。执法检查，是这些年各级人大常委会在实践中形成的把工作监督和法律监督结合起来的一种行之有效的监督形式。通过执法检查，既能发现“一府两院”在执法中存在的问题，可以促进依法行政、公正司法；又能发现法律、法规自身存在的不足，有利于修改完善有关法律、法规。草案三次审议稿根据成功的实践经验，主要从以下几个方面对执法检查作了规定：

1. 常委会每年选择若干关系改革发展稳定大局和群众切身利益、社会普遍关注的重大问题，有计划地安排执法检查。

2. 常委会根据年度执法检查计划，按照精干、效能的原则，组织执法检查组。全国人大常委会根据需要，可以委托部分省级人大常委会对有关法律在本行政区域内的实施情况进行检查，并将检查情况书面报送全国人大常委会。

3. 执法检查结束后，执法检查组应当及时提出执法检查报告，由委员长会议或者主任会议决定提请常委会审议。常委会组成人员对执法检查报告的审议意见连同执法检查报告，一并交由本级政府、法院或者检察院研究处理。政府、法院或者检察院应当将研究处理情况向本级人大常委会提出书面报告；必要时，由委员长会议或者主任会议决定提请常委会审议，或者由常委会组织跟踪检查。

（六）关于规范性文件的备案审查

对规范性文件进行备案审查，是宪法赋予人大常委会的法律监督职权，对于维护法制统一，至关重要。依据宪法有关规定，立法法对行政法规、地方性法规、自治条例和单行条例、规章的备案、审查和撤销已经作了规定，草案三次审议稿只作了衔接性的规定。从现实情况看，监督法需要进一步重点解决的主要是两个问题：

一是，依据宪法和有关法律的规定，县级以上地方各级人大常委会有权撤销下一级人大及其常委会作出的不适当的决议、决定和本级政府发布的不适当的决定、命令。在现实生活中，一些地方作出的决议、决定或者发布的命令，有些是超越职权、明显违法的，如擅自设立审批、收费、罚款、强制措施等。为了解决这个问题，草案三次审议稿规定：县级以上地方各级人大常委会审查、撤销不适当的决议、决定或命令的程序，由省级人大常委会参照立法法的有关规定，作出具体规定。

二是，按照司法体制改革精神，最高人民法院、最高人民检察院作出的司法解释应当报全国人大常委会备案审查，全国人大常委会委员长会议已经通过了《司法解释备案审查工作程序》。草案三次审议稿参照立法法有关备案审查程序的规定,对司法解释的备案审查程序作了具体规定。

（七）关于审议和决定撤职案

依据宪法和有关法律的规定,人民代表大会有审议和决定罢免案的职权,人大常委会有审议和决定撤职案的职权。关于常委会组成人员联名提出撤职案的问题,参照地方组织法关于人大代表联名提出罢免案的处理程序的规定,草案三次审议稿规定:县级以上地方各级人大常委会五分之一以上组成人员书面联名,可以向常委会提出对法律规定的人员的撤职案,由主任会议决定是否提请常委会会议审议;或者依法组织特定问题的调查委员会,由以后的常委会会议根据调查委员会的报告审议决定。这样规定,有一个缓冲的时间,可以避免在有关事实尚未搞清楚的情况下草率作出决定,体现了对人的处理要慎重的原则。

此外,根据宪法和有关法律的规定,草案三次审议稿还对"询问和质询"、"特定问题调查"作了规范化、程序化的规定。

草案三次审议稿已按上述意见作了修改,法律委员会建议本次常委会会议继续审议。

监督法（草案三次审议稿）和以上汇报是否妥当,请审议。

全国人大法律委员会关于《中华人民共和国全国人民代表大会常务委员会和县级以上地方各级人民代表大会常务委员会监督法(草案)》审议结果的报告

(2006 年 8 月 22 日在第十届全国人民代表大会常务委员会第二十三次会议上)

全国人大法律委员会副主任委员　乔晓阳

全国人民代表大会常务委员会:

常委会第二十二次会议对监督法(草案三次审议稿)进行了审议。一致认为,草案三次审议稿的指导思想、基本原则、框架结构和主要内容是正确的、恰当的,对几个重大问题的处理是积极的、稳妥的,充分体现了坚持党的领导、人民当家作主和依法治国的有机统一,符合我国的国情和实际,是一个比较好的文本。同时,有些常委会组成人员和列席会议的全国人大专门委员会组成人员、全国人大代表、省级人大常委会负责同志也就进一步修改、完善草案提出了不少好的意见和建议。会后，法律委员会、法制工作委员会对常委会组成人员的审议意见和各方面的意见逐条进行了认真研究，对草案48条中的27条作了修改、完善。法律委员会于8月8日、17日两次召开会议，根据常委会组成人员的意见和各方面的意见，对草案进行了审议。法律委员会认为，草案三次审议稿比较好地处理了加强人大监督与坚持党的领导的关系，加强人大监督与支持政府、法院、检察院依法开展工作的关系，充分体现了人大监督的特点，具有较强的针对性和可操作性，已经比较成熟；同时，提出以下主要修改意见：

一、有些常委会组成人员、专门委员会委员、代表和省级人大常委会负责同志提出，草案的名称太长，建议缩短，尽量简明。法律委员会经研究，建议将草案的名称修改为《中华人民共和国各级人民代表大会常务委员会监督法（草案）》，并对条文中的有关表述作相应修改。

二、草案三次审议稿第三条规定："全国人民代表大会常务委员会和县级以上地方各级人民代表大会常务委员会行使监督职权，应当以经济建设为中心，在中国共产党的领导下，在马克思列宁主义、毛泽东思想、邓小平理论和'三个代表'重要思想指引下，坚持社会主义道路，坚持人民民主专政，坚持改革开放。"在审议中，普遍认为这一条是人大常委会行使监督权所必须坚持的政治原则，表示完全赞成；同时，有些常委委员也提出了一些对这一条加以补充、完善的意见和建议，有的建议增加"全面贯彻科学发展观"，有的建议增加"促进社会和谐"，有的建议增加"正确处理改革发展稳定的关系"，有的建议增加"全面推进经济建设、政治建设、文化建设和社会建设”，等等，这些内容可以概括为“党和国家的工作大局”。有的提出，这一条中关于四项基本原则的表述，还是采用“四个坚持”的提法比较好。法律委员会经研究，建议将这一条修改为：“各级人民代表大会常务委员会行使监督职权，应当服从并服务于国家工作大局，坚持中国共产党的领导，坚持马克思列宁主义、毛泽东思想、邓小平理论和‘三个代表’重要思想，坚持人民民主专政，坚持社会主义道路，坚持改革开放。”

三、草案三次审议稿第十四条第二款规定：“常务委员会听取的专项工作报告及审议意见，人民政府、人民法院或者人民检察院对审议意见研究处理情况或者执行决议情况的报告，向社会公布。”有的常委委员和代表提出，这些情况也应向本级人民代表大会代表通报。法律委员会经研究，建议将这一款中“向社会公布”修改为“向本级人民代表大会代表通报并向社会公布”。同时，在第十九条第二款、第二十六条第二款中相应增加“向本级人民代表大会代表通报”的内容。

四、草案三次审议稿第十七条第二款规定：“中央预算安排的农业、教育、科技、医疗卫生、社会保障等预算资金需要调减的，国务院应当提请全国人民代表大会常务委员会审查和批准。”有些常委委员和省级人大常委会负责同志提出，上述规定不仅适用于对中央预算的监督，也应适用于地方。法律委员会经研究，建议将这一款修改为：“严格控制经人民代表大会批准的预算科目之间的资金调整。预算安排的农业、教育、科技、医疗卫生、社会保障等资金需要调减的，国务院和县级以上地方各级人民政府应当提请本级人民代表大会常务委员会审查和批准。"

五、草案三次审议稿第十八条第一款规定："常务委员会对决算草案和预算执行情况报告，重点审查下列内容：(一)预算收支平衡情况；(二)重点支出安排和资金到位情况；(三)预算超收收入的安排和使用情况；(四)部门预算制度建立和执行情况；(五)本级人民代表大会关于批准预算的决议的执行情况。"第二款规定："全国人民代表大会常务委员会对决算草案和预算执行情况报告进行审查时，还应当重点审查转移支付情况。"第三款规定："县级以上地方各级人民代表大会常务委员会对决算草案和预算执行情况报告进行审查时，还应当重点审查上级财政专项补助资金的安排和使用情况。"有些常委委员和省级人大常委会负责同志提出，地方也有向下级财政转移支付的问题，草案第二款的规定也应适用于地方。有的常委会组成人员提出，全国人大常委会还应重点审查国债余额情况。法律委员会经研究，建议在这一条第一款规定的对决算草案和预算执行情况报告重点审查的内容中增加"向下级财政转移支付情况"一项，并将这一条第二款、第三款合并修改为："除前款规定外，全国人民代表大会常务委员会还应当重点审查国债余额情况；县级以上地方各级人民代表大会常务委员会还应当重点审查上级财政补助资金的安排和使用情况。"

六、草案三次审议稿第二十四条规定："全国人民代表大会常务委员会根据需要，可以委托部分省、自治区、直辖市的人民代表大会常务委员会对有关法律在本行政区域内的实施情况进行检查，并将检查情况书面报送全国人民代表大会常务委员会。"有些省级人大常委会负责同志提出，委托执法检查不应限于全国人大常委会,省级人大常委会也可以委托下一级人大常委会进行执法检查。法律委员会经研究,建议将这一条修改为:"全国人民代表大会常务委员会和省、自治区、直辖市的人民代表大会常务委员会根据需要,可以委托下一级人民代表大会常务委员会对有关法律、法规在本行政区域内的实施情况进行检查。受委托的人民代表大会常务委员会应当将检查情况书面报送上一级人民代表大会常务委员会。"

七、草案三次审议稿第三十一条第一款规定:"国务院、中央军事委员会、最高人民法院、最高人民检察院和省、自治区、直辖市的人民代表大会常务委员会认为最高人民法院或者最高人民检察院作出的具体应用法律的解释同宪法或者法律相抵触的,可以向全国人民代表大会常务委员会书面提出进行审查的要求,由常务委员会工作机构分送有关专门委员会进行审查、提出意见。"有些常委委员提出,按照这一条的规定,使人容易产生最高人民法院、最高人民检察院可以向全国人大常委会提出对自己作出的司法解释进行审查要求的误解,建议从逻辑上把这个对应关系写得更清楚一些。法律委员会经研究,建议将这一款修改为:"国务院、中央军事委员会和省、自治区、直辖市的人民代表大会常务委员会认为最高人民法院、最高人民检察院作出的具体应用法律的解释同法律规定相抵触的,最高人民法院或者最高人民检察院认为对方作出的具体应用法律的解释同法律规定相抵触的,可以向全国人民代表大会常务委员会书面提出进行审查的要求,由常务委员会工作机构送有关专门委员会进行审查、提出意见。"

八、草案三次审议稿第三十九条规定:"全国人民代表大会常务委员会和县级以上地方各级人民代表大会常务委员会行使监督职权，需要作出决议、决定，但有关重大事实不清的，可以组织关于特定问题的调查委员会。”有些常委会组成人员提出，对组织关于特定问题的调查委员会的条件应规定得更明确一些。法律委员会经研究，建议将这一条修改为：“各级人民代表大会常务委员会对属于其职权范围内的事项，需要作出决议、决定，但有关重大事实不清的，可以组织关于特定问题的调查委员会。”

此外，还对草案三次审议稿作了一些文字修改。

草案四次审议稿已按上述意见作了修改，法律委员会建议本次常委会会议审议通过。

草案四次审议稿和以上报告是否妥当，请审议。

全国人大法律委员会关于《中华人民共和国各级人民代表大会常务委员会监督法(草案)》等三个法律草案修改意见的报告

(2006 年 8 月 26 日在第十届全国人民代表大会常务委员会第二十三次会议上)

全国人大法律委员会主任委员　杨景宇

全国人民代表大会常务委员会:

本次常委会会议于 8 月 22 日下午、23 日上午分别对监督法(草案四次审议稿)、企业破产法(草案三次审议稿)、合伙企业法(修订草案三次审议稿)进行了分组审议。法律委员会于 8 月 24 日下午召开会议,对三个法律草案进行了审议。财政经济委员会和国务院法制办、国家税务总局、最高人民法院的负责同志列席了会议。现将情况报告如下:

在本次会议审议中,常委会组成人员普遍认为,这三个法律草案根据常委会组成人员的审议意见和各方面的意见几经修改,已经比较成熟,建议本次会议进一步修改后通过;同时,有些常委会组成人员也提出一些修改意见。法律委员会认为,三个法律草案是可行的;同时,提出以下主要修改意见:

一、关于监督法

(草案四次审议稿)

(一)草案四次审议稿第三条规定:"各级人民代表大会常务委员会行使监督职权,应当服从并服务于国家工作大局,坚持中国共产党的领导,坚持马克思列宁主义、毛泽东思想、邓小平理论和'三个代表'重要思想,坚持人民民主专政,坚持社会主义道路,坚持改革开放。"有些常委委员提出,社会主义初级阶段基本路线的内容是"一个中心、两个基本点",应予完整表述。法律委员会经研究,建议将这一条修改为:"各级人民代表大会常务委员会行使监督职权,应当围绕国家工作大局,以经济建设为中心,坚持中国共产党的领导,坚持马克思列宁主义、毛泽东思想、邓小平理论和'三个代表'重要思想,坚持人民民主专政,坚持社会主义道路,坚持改革开放。"

(二)草案四次审议稿第十七条第二款规定,"预算安排的农业、教育、科技、医疗卫生、社会保障等资金需要调减的",人民政府应当提请本级人大常委会审查和批准。有的常委委员建议在上述规定中明确列入"文化"一项。法律委员会经研究,建议将上述规定修改为"预算安排的农业、教育、科技、文化、卫生、社会保障等资金需要调减的",人民政府应当提请本级人大常委会审查和批准。

（三）草案四次审议稿第十九条第二款中规定，“常务委员会组成人员对预算执行情况报告和审计工作报告的审议意见交由本级人民政府研究处理”。有些常委委员提出，常委会组成人员对国民经济和社会发展计划执行情况报告的审议意见，也应交由本级人民政府研究处理。法律委员会经研究，建议将上述规定修改为“常务委员会组成人员对国民经济和社会发展计划执行情况报告、预算执行情况报告和审计工作报告的审议意见交由本级人民政府研究处理”。同时，在这一条第三款规定的需要向本级人大代表通报并向社会公布的内容中，相应增加“国民经济和社会发展计划执行情况报告”。

（四）有的常委委员提出，草案第九条对确定常委会听取和审议专项工作报告的议题的途径作了规定，建议对执法检查的议题如何确定也相应作出规定。法律委员会经研究，建议将草案四次审议稿第二十一条修改为：“各级人民代表大会常务委员会参照本法第九条规定的途径，每年选择若干关系改革发展稳定大局和群众切身利益、社会普遍关注的重大问题，有计划地对有关法律、法规实施情况组织执法检查。”

这里，还有一个问题需要说明。有的常委委员提出，监督法通过后，1999 年 12 月全国人大常委会通过的《关于加强中央预算审查监督的决定》和 2000 年 3 月全国人大常委会通过的《关于加强经济工作监督的决定》是否继续有效，应予明确。法律委员会经研究认为，上述两个“决定”为加强全国人大监督的有关工作程序未纳入监督法；有关加强全国人大常委会行使职权的主要程序尽管已经吸收到监督法中，但也还有一些很具体的工作程序没有也不必写进监督法。因此，监督法通过后，这两个

“决定”仍然有效。

二、关于企业破产法(略)

三、关于合伙企业法(略)

此外,根据常委会组成人员的审议意见,还对三个法律草案作了一些文字修改。

这里,需要说明:有些常委会组成人员和全国人大代表、专门委员会成员、省级人大常委会负责同志对三个法律草案还提出了其他一些意见和建议。法律委员会研究认为,这些意见和建议,有些在草案修改过程中已经反复研究过,有些问题还缺乏成熟的实践经验。因此,对草案有关规定以不再改动为妥。

三个法律草案的建议表决稿已按上述意见作了修改,法律委员会建议本次常委会会议审议通过。

以上报告是否妥当,请审议。

中华人民共和国立法法

（2000 年 3 月 15 日第九届
全国人民代表大会第三次会议通过）

目 录

第一章　总　　则

第一条　为了规范立法活动，健全国家立法制度，建立和完善有中国特色社会主义法律体系，保障和发展社会主义民主，推进依法治国，建设社会主义法治国家，根据宪法，制定本法。

第二条　法律、行政法规、地方性法规、自治条例和单行条例的制定、修改和废止，适用本法。

国务院部门规章和地方政府规章的制定、修改和废止，依照本法的有关规定执行。

第三条　立法应当遵循宪法的基本原则，以经济建设为中心，坚持社会主义道路、坚持人民民主专政、坚持中国共产党的领导、坚持马克思列宁主义毛泽东思想邓小平理论，坚持改革开放。

第四条　立法应当依照法定的权限和程序，从国家整体利益出发，维护社会主义法制的统一和尊严。

第五条　立法应当体现人民的意志，发扬社会主义民主，保障人民通过多种途径参与立法活动。

第六条　立法应当从实际出发，科学合理地规定公民、法人和其他组织的权利与义务、国家机关的权力与责任。

第二章　法　　律

第一节　立法权限

第七条　全国人民代表大会和全国人民代表大会常务委员会行使国家立法权。

全国人民代表大会制定和修改刑事、民事、国家机构的和其他的基本法律。

全国人民代表大会常务委员会制定和修改除应当由全国人民代表大会制定的法律以外的其他法律；在全国人民代表大会闭会期间，对全国人民代表大会制定的法律进行部分补充和修改，但是不得同该法律的基本原则相抵触。

第八条　下列事项只能制定法律：

（一）国家主权的事项；

（二）各级人民代表大会、人民政府、人民法院和人民检察院的产生、组织和职权；

（三）民族区域自治制度、特别行政区制度、基层群众自治制度；

（四）犯罪和刑罚；

（五）对公民政治权利的剥夺、限制人身自由的强制措施和处罚；

（六）对非国有财产的征收；

（七）民事基本制度；

（八）基本经济制度以及财政、税收、海关、金融和外贸的基本制度；

（九）诉讼和仲裁制度；

（十）必须由全国人民代表大会及其常务委员会制定法律的其他事项。

第九条　本法第八条规定的事项尚未制定法律的，全国人民代表大会及其常务委员会有权作出决定，授权国务院可以根据实际需要，对其中的部分事项先制定行政法规，但是有关犯罪和刑罚、对公民政治权利的剥夺和限制人身自由的强制措施和处罚、司法制度等事项除外。

第十条 授权决定应当明确授权的目的、范围。

被授权机关应当严格按照授权目的和范围行使该项权力。

被授权机关不得将该项权力转授给其他机关。

第十一条 授权立法事项，经过实践检验，制定法律的条件成熟时，由全国人民代表大会及其常务委员会及时制定法律。法律制定后，相应立法事项的授权终止。

第二节 全国人民代表大会立法程序

第十二条 全国人民代表大会主席团可以向全国人民代表大会提出法律案，由全国人民代表大会会议审议。

全国人民代表大会常务委员会、国务院、中央军事委员会、最高人民法院、最高人民检察院、全国人民代表大会各专门委员会，可以向全国人民代表大会提出法律案，由主席团决定列入会议议程。

第十三条 一个代表团或者三十名以上的代表联名，可以向全国人民代表大会提出法律案，由主席团决定是否列入会议议程，或者先交有关的专门委员会审议、提出是否列入会议议程的意见，再决定是否列入会议议程。

专门委员会审议的时候，可以邀请提案人列席会议，发表意见。

第十四条 向全国人民代表大会提出的法律案，在全国人民代表大会闭会期间，可以先向常务委员会提出，经常务委员会会议依照本法第二章第三节规定的程序审议后，决定提请全国人民代表大会审议，由常务委员会向大会全体会议作说明，或者由提案人向大会全体会议作说明。

第十五条 常务委员会决定提请全国人民代表大会会议审议的法律案，应当在会议举行的一个月前将法律草案发给代表。

第十六条 列入全国人民代表大会会议议程的法律案，大会全体会议听取提案人的说明后，由各代表团进行审议。

各代表团审议法律案时，提案人应当派人听取意见，回答询问。

各代表团审议法律案时，根据代表团的要求，有关机关、组织应当派人介绍情况。

第十七条 列入全国人民代表大会会议议程的法律案，由有关的专门委员会进行审议，向主席团提出审议意见，并印发会议。

第十八条 列入全国人民代表大会会议议程的法律案，由法律委员会根据各代表团和有关的专门委员会的审议意见，对法律案进行统一审议，向主席团提出审议结果报告和法律草案修改稿，对重要的不同意见应当在审议结果报告中予以说明，经主席团会议审议通过后，印发会议。

第十九条 列入全国人民代表大会会议议程的法律案，必要时，主席团常务主席可以召开各代表团团长会议，就法律案中的重大问题听取各代表团的审议意见，进行讨论，并将讨论的情况和意见向主席团报告。

主席团常务主席也可以就法律案中的重大的专门性问题，召集代表团推选的有关代表进行讨论，并将讨论的情况和意见向主席团报告。

第二十条 列入全国人民代表大会会议议程的法律案，在交付表决前，提案人要求撤回的，应当说明理由，经主席团同意，并向大会报告，对该法律案的审议即行终止。

第二十一条 法律案在审议中有重大问题需要进一步研究的，经主席团提出，由大会全体会议决定，可以授权常务委员会根据代表的意见进一步审议，作出决定，并将决定情况向全国人民代表大会下次会议报告；也可以授权常务委员会根据代表的意见进一步审议，提出修改方案，提请全国人民代表大会下次会议审议决定。

第二十二条 法律草案修改稿经各代表团审议，并经法律委员会根据各代表团的审议意见进行修改，提出法律草案表决稿，由主席团提请大会全体会议表决，由全体代表的过半数通过。

第二十三条 全国人民代表大会通过的法律由国家主席签署主席令予以公布。

第三节 全国人民代表大会常务委员会立法程序

第二十四条 委员长会议可以向常务委员会提出法律案，由常务委员会会议审议。

国务院、中央军事委员会、最高人民法院、最高人民检察院、全国人民代表大会各专门委员会，可以向常务委员会提出法律案，由委员长会议决定列入常务委员会会议议程，或者先交有关的专门委员会审议、提出报告，再决定列入常务委员会会议议程。如果委员长会议认为法律案有重大问题需要进一步研究，可以建议提案人修改完善后再向常务委员会提出。

第二十五条　常务委员会组成人员十人以上联名，可以向常务委员会提出法律案，由委员长会议决定是否列入常务委员会会议议程，或者先交有关的专门委员会审议、提出是否列入会议议程的意见，再决定是否列入常务委员会会议议程。不列入常务委员会会议议程的，应当向常务委员会会议报告或者向提案人说明。

专门委员会审议的时候，可以邀请提案人列席会议，发表意见。

第二十六条　列入常务委员会会议议程的法律案，除特殊情况外，应当在会议举行的七日前将法律草案发给常务委员会组成人员。

第二十七条　列入常务委员会会议议程的法律案，一般应当经三次会议审议后再交付表决。

常务委员会会议第一次审议法律案，在全体会议上听取提案人的说明，由分组会议进行初步审议。

常务委员会会议第二次审议法律案，在全体会议上听取法律委员会关于法律草案修改情况和主要问题的汇报，由分组会议进一步审议。

常务委员会会议第三次审议法律案，在全体会议上听取法律委员会关于法律草案审议结果的报告，由分组会议对法律草案修改稿进行审议。

常务委员会审议法律案时，根据需要，可以召开联组会议或者全体会议，对法律草案中的主要问题进行讨论。

第二十八条　列入常务委员会会议议程的法律案，各方面意见比较一致的，可以经两次会议审议后交付表决；部分修改的法律案，各方面的意见比较一致的，也可以经一次会议审议即交付表决。

第二十九条 常务委员会分组会议审议法律案时，提案人应当派人听取意见，回答询问。

常务委员会分组会议审议法律案时，根据小组的要求，有关机关、组织应当派人介绍情况。

第三十条 列入常务委员会会议议程的法律案，由有关的专门委员会进行审议，提出审议意见，印发常务委员会会议。

专门委员会审议法律案时，可以邀请其他有关专门委员会的成员列席会议，发表意见。

第三十一条 列入常务委员会会议议程的法律案，由法律委员会根据常务委员会组成人员、有关的专门委员会的审议意见和各方面提出的意见，对法律案进行统一审议，提出修改情况的汇报或者审议结果报告和法律草案修改稿，对重要的不同意见应当在汇报或者审议结果报告中予以说明。对有关的专门委员会的重要审议意见没有采纳的，应当向有关的专门委员会反馈。

法律委员会审议法律案时，可以邀请有关的专门委员会的成员列席会议，发表意见。

第三十二条 专门委员会审议法律案时，应当召开全体会议审议，根据需要，可以要求有关机关、组织派有关负责人说明情况。

第三十三条 专门委员会之间对法律草案的重要问题意见不一致时，应当向委员长会议报告。

第三十四条 列入常务委员会会议议程的法律案，法律委员会、有关的专门委员会和常务委员会工作机构应当听取各方面的意见。听取意见可以采取座谈会、论证会、听证会等多种形式。

常务委员会工作机构应当将法律草案发送有关机关、组织和专家征求意见，将意见整理后送法律委员会和有关的专门委员会，并根据需要，印发常务委员会会议。

第三十五条　列入常务委员会会议议程的重要的法律案，经委员长会议决定，可以将法律草案公布，征求意见。各机关、组织和公民提出的意见送常务委员会工作机构。

第三十六条　列入常务委员会会议议程的法律案，常务委员会工作机构应当收集整理分组审议的意见和各方面提出的意见以及其他有关资料，分送法律委员会和有关的专门委员会，并根据需要，印发常务委员会会议。

第三十七条　列入常务委员会会议议程的法律案，在交付表决前，提案人要求撤回的，应当说明理由，经委员长会议同意，并向常务委员会报告，对该法律案的审议即行终止。

第三十八条　法律案经常务委员会三次会议审议后，仍有重大问题需要进一步研究的，由委员长会议提出，经联组会议或者全体会议同意，可以暂不付表决，交法律委员会和有关的专门委员会进一步审议。

第三十九条　列入常务委员会会议审议的法律案，因各方面对制定该法律的必要性、可行性等重大问题存在较大意见分歧搁置审议满两年的，或者因暂不付表决经过两年没有再次列入常务委员会会议议程审议的，由委员长会议向常务委员会报告，该法律案终止审议。

第四十条 法律草案修改稿经常务委员会会议审议，并经法律委员会根据常务委员会组成人员的审议意见进行修改，提出法律草案表决稿，由委员长会议提请常务委员会全体会议表决，由常务委员会全体组成人员的过半数通过。

第四十一条 常务委员会通过的法律由国家主席签署主席令予以公布。

第四节 法律解释

第四十二条 法律解释权属于全国人民代表大会常务委员会。

法律有以下情况之一的，由全国人民代表大会常务委员会解释：

（一）法律的规定需要进一步明确具体含义的；

（二）法律制定后出现新的情况，需要明确适用法律依据的。

第四十三条 国务院、中央军事委员会、最高人民法院、最高人民检察院和全国人民代表大会各专门委员会以及省、自治区、直辖市的人民代表大会常务委员会可以向全国人民代表大会常务委员会提出法律解释要求。

第四十四条 常务委员会工作机构研究拟定法律解释草案，由委员长会议决定列入常务委员会会议议程。

第四十五条 法律解释草案经常务委员会会议审议，由法律委员会根据常务委员会组成人员的审议意见进行审议、修改，提出法律解释草案表决稿。

第四十六条 法律解释草案表决稿以常务委员会全体组成人员的过半数通过，由常务委员会发布公告予以公布。

第四十七条 全国人民代表大会常务委员会的法律解释同法律具有同等效力。

第五节 其他规定

第四十八条 提出法律案应当同时提出法律草案文本及其说明,并提供必要的资料。法律草案的说明应当包括制定该法律的必要性和主要内容。

第四十九条 向全国人民代表大会及其常务委员会提出的法律案,在列入会议议程之前,提案人有权撤回。

第五十条 交付全国人民代表大会及其常务委员会全体会议表决未获得通过的法律案,如果提案人认为必须制定该法律,可以按照法律规定的程序重新提出,由主席团、委员长会议决定是否列入会议议程;其中,未获得全国人民代表大会通过的法律案,应当提请全国人民代表大会审议决定。

第五十一条 法律应当明确规定施行时间。

第五十二条 签署公布法律的主席令载明该法律的制定机关、通过日期和施行时间。

法律签署公布后,及时在常务委员会公报和在全国范围内发行的报纸上刊登。

在常务委员会公报上刊登的法律文本为标准文本。

第五十三条 法律的修改和废止程序,适用本章的有关规定。

法律部分条文被修改或者废止的,必须公布新的法律文本。

第五十四条 法律根据内容需要,可以分编、章、节、条、款、项、目。

编、章、节、条的序号用中文数字依次表述,款不编序号,项的序号用中文数字加括号依次表述,目的序号用阿拉伯数字依次表述。

法律标题的题注应当载明制定机关、通过日期。

第五十五条 全国人民代表大会常务委员会工作机构可以对有关具体问题的法律询问进行研究予以答复,并报常务委员会备案。

第三章 行政法规

第五十六条 国务院根据宪法和法律,制定行政法规。

行政法规可以就下列事项作出规定:

(一)为执行法律的规定需要制定行政法规的事项;

(二)宪法第八十九条规定的国务院行政管理职权的事项。

应当由全国人民代表大会及其常务委员会制定法律的事项,国务院根据全国人民代表大会及其常务委员会的授权决定先制定的行政法规,经过实践检验,制定法律的条件成熟时,国务院应当及时提请全国人民代表大会及其常务委员会制定法律。

第五十七条 行政法规由国务院组织起草。国务院有关部门认为需要制定行政法规的,应当向国务院报请立项。

第五十八条 行政法规在起草过程中,应当广泛听取有关机关、组织和公民的意见。听取意见可以采取座谈会、论证会、听证会等多种形式。

第五十九条 行政法规起草工作完成后,起草单位应当将草案及其说明、各方面对草案主要问题的不同意见和其他有关资料送国务院法制机构进行审查。

国务院法制机构应当向国务院提出审查报告和草案修改稿，审查报告应当对草案主要问题的不同意见作出说明。

第六十条　行政法规的决定程序依照中华人民共和国国务院组织法的有关规定办理。

第六十一条　行政法规由总理签署国务院令公布。

国务院令应当载明该行政法规的制定机关、通过日期和施行时间。

第六十二条　行政法规签署公布后，及时在国务院公报和在全国范围内发行的报纸上刊登。

在国务院公报上刊登的行政法规文本为标准文本。

第四章　地方性法规、自治条例和单行条例、规章

第一节　地方性法规、自治条例和单行条例

第六十三条　省、自治区、直辖市的人民代表大会及其常务委员会根据本行政区域的具体情况和实际需要，在不同宪法、法律、行政法规相抵触的前提下，可以制定地方性法规。

较大的市的人民代表大会及其常务委员会根据本市的具体情况和实际需要，在不同宪法、法律、行政法规和本省、自治区的地方性法规相抵触的前提下，可以制定地方性法规，报省、自治区的人民代表大会常务委员会批准后施行。省、自治区的人民代表大会常务委员会对报请批准的地方性法规，应当对其合法性进行审查，同宪法、法律、行政法规和本省、自治区的地方性法规不抵触的，应当在四个月内予以批准。

省、自治区的人民代表大会常务委员会在对报请批准的较大的市的地方性法规进行审查时，发现其同本省、自治区的人民政府的规章相抵触的，应当作出处理决定。

本法所称较大的市是指省、自治区的人民政府所在地的市，经济特区所在地的市和其他符合条件经国务院批准的享有地方性法规制定权的设区的市。

第六十四条 地方性法规可以就下列事项作出规定：

（一）为执行法律、行政法规的规定，需要根据本行政区域的实际情况作具体规定的事项；

（二）属于地方性事务需要制定地方性法规的事项。

除本法第八条规定的事项外，其他事项国家尚未制定法律或者行政法规的，省、自治区、直辖市和较大的市根据本地方的具体情况和实际需要，可以先制定地方性法规。在国家制定的法律或者行政法规生效后，地方性法规同法律或者行政法规相抵触的规定无效，制定机关应当及时予以修改或者废止。

第六十五条 经济特区所在地的省、市的人民代表大会及其常务委员会根据全国人民代表大会的授权决定，制定法规，在经济特区范围内实施。

第六十六条 民族自治地方的人民代表大会有权依照当地民族的政治、经济和文化的特点，制定自治条例和单行条例。自治区的自治条例和单行条例，报全国人民代表大会常务委员会批准后生效。自治州、自治县的自治条例和单行条例，报省、自治区、直辖市的人民代表大会常务委员会批准后生效。

自治条例和单行条例可以根据当地民族的特点，对法律和行政法规的规定作出变通规定，但不得违背法律或者行政法规的基本原则，不得对宪法和民族区域自治法的规定以及其他有关法律、行政法规专门就民族自治地方所作的规定作出变通规定。

第六十七条　规定本行政区域特别重大事项的地方性法规，应当由人民代表大会通过。

第六十八条　地方性法规案、自治条例和单行条例案的提出、审议和表决程序，根据中华人民共和国地方各级人民代表大会和地方各级人民政府组织法，参照本法第二章第二节、第三节、第五节的规定，由本级人民代表大会规定。

地方性法规草案由负责统一审议的机构提出审议结果的报告和草案修改稿。

第六十九条　省、自治区、直辖市的人民代表大会制定的地方性法规由大会主席团发布公告予以公布。

省、自治区、直辖市的人民代表大会常务委员会制定的地方性法规由常务委员会发布公告予以公布。

较大的市的人民代表大会及其常务委员会制定的地方性法规报经批准后，由较大的市的人民代表大会常务委员会发布公告予以公布。

自治条例和单行条例报经批准后，分别由自治区、自治州、自治县的人民代表大会常务委员会发布公告予以公布。

第七十条　地方性法规、自治区的自治条例和单行条例公布后，及时在本级人民代表大会常务委员会公报和在本行政区域范围内发行的报纸上刊登。

在常务委员会公报上刊登的地方性法规、自治条例和单行条例文本为标准文本。

第二节 规 章

第七十一条 国务院各部、委员会、中国人民银行、审计署和具有行政管理职能的直属机构，可以根据法律和国务院的行政法规、决定、命令，在本部门的权限范围内，制定规章。

部门规章规定的事项应当属于执行法律或者国务院的行政法规、决定、命令的事项。

第七十二条 涉及两个以上国务院部门职权范围的事项，应当提请国务院制定行政法规或者由国务院有关部门联合制定规章。

第七十三条 省、自治区、直辖市的人民政府，可以根据法律、行政法规和本省、自治区的地方性法规，制定规章。

较大的市的人民政府，可以根据法律、行政法规和本省、自治区、较大的市的地方性法规，制定规章。

地方政府规章可以就下列事项作出规定：

（一）为执行法律、行政法规、地方性法规的规定需要制定规章的事项；

（二）属于本行政区域的具体行政管理事项。

第七十四条 国务院部门规章和地方政府规章的制定程序，参照本法第三章的规定，由国务院规定。

第七十五条 部门规章应当经部务会议或者委员会会议决定。

地方政府规章应当经政府常务会议或者全体会议决定。

第七十六条 部门规章由部门首长签署命令予以公布。

地方政府规章由省长或者自治区主席或者市长签署命令予

以公布。

第七十七条 部门规章签署公布后，及时在国务院公报或者部门公报和在全国范围内发行的报纸上刊登。

地方政府规章签署公布后，及时在本级人民政府公报和在本行政区域范围内发行的报纸上刊登。

在国务院公报或者部门公报和地方人民政府公报上刊登的规章文本为标准文本。

第五章 适用与备案

第七十八条 宪法具有最高的法律效力，一切法律、行政法规、地方性法规、自治条例和单行条例、规章都不得同宪法相抵触。

第七十九条 法律的效力高于行政法规、地方性法规、规章。

行政法规的效力高于地方性法规、规章。

第八十条 地方性法规的效力高于本级和下级地方政府规章。

省、自治区的人民政府制定的规章的效力高于本行政区域内的较大的市的人民政府制定的规章。

第八十一条 自治条例和单行条例依法对法律、行政法规、地方性法规作变通规定的，在本自治地方适用自治条例和单行条例的规定。

经济特区法规根据授权对法律、行政法规、地方性法规作变通规定的，在本经济特区适用经济特区法规的规定。

第八十二条 部门规章之间、部门规章与地方政府规章之间具有同等效力，在各自的权限范围内施行。

第八十三条　同一机关制定的法律、行政法规、地方性法规、自治条例和单行条例、规章，特别规定与一般规定不一致的，适用特别规定；新的规定与旧的规定不一致的，适用新的规定。

第八十四条　法律、行政法规、地方性法规、自治条例和单行条例、规章不溯及既往，但为了更好地保护公民、法人和其他组织的权利和利益而作的特别规定除外。

第八十五条　法律之间对同一事项的新的一般规定与旧的特别规定不一致，不能确定如何适用时，由全国人民代表大会常务委员会裁决。

行政法规之间对同一事项的新的一般规定与旧的特别规定不一致，不能确定如何适用时，由国务院裁决。

第八十六条　地方性法规、自治条例和单行条例、规章之间不一致时，由有关机关按照下列规定的权限作出裁决：

（一）同一机关制定的新的一般规定与旧的特别规定不一致时，由制定机关裁决；

（二）地方性法规与部门规章之间对同一事项的规定不一致，不能确定如何适用时，由国务院提出意见。国务院认为应当适用地方性法规的，应当决定在该地方适用地方性法规的规定；认为应当适用部门规章的，应当提请全国人民代表大会常务委员会裁决；

（三）部门规章之间、部门规章与地方政府规章之间对同一事项的规定不一致时，由国务院裁决。

根据授权制定的法规与法律规定不一致，不能确定如何适用时，由全国人民代表大会常务委员会裁决。

第八十七条　法律、行政法规、地方性法规、自治条例和单行条例、规章有下列情形之一的，由有关机关按照本法第八十八条规定的权限予以改变或者撤销：

（一）超越权限的；

（二）下位法违反上位法规定的；

（三）规章之间对同一事项的规定不一致，经裁决应当改变或者撤销一方的规定的；

（四）规章的规定被认为不适当应当予以改变或者撤销的；

（五）违背法定程序的。

第八十八条　改变或者撤销法律、行政法规、地方性法规、自治条例和单行条例、规章的权限是：

（一）全国人民代表大会有权改变或者撤销它的常务委员会制定的不适当的法律，有权撤销全国人民代表大会常务委员会批准的违背宪法和本法第六十六条第二款规定的自治条例和单行条例；

（二）全国人民代表大会常务委员会有权撤销同宪法和法律相抵触的行政法规，有权撤销同宪法、法律和行政法规相抵触的地方性法规，有权撤销省、自治区、直辖市的人民代表大会常务委员会批准的违背宪法和本法第六十六条第二款规定的自治条例和单行条例；

（三）国务院有权改变或者撤销不适当的部门规章和地方政府规章；

（四）省、自治区、直辖市的人民代表大会有权改变或者撤销它的常务委员会制定的和批准的不适当的地方性法规；

（五）地方人民代表大会常务委员会有权撤销本级人民政府

制定的不适当的规章;

(六)省、自治区的人民政府有权改变或者撤销下一级人民政府制定的不适当的规章;

(七)授权机关有权撤销被授权机关制定的超越授权范围或者违背授权目的的法规,必要时可以撤销授权。

第八十九条 行政法规、地方性法规、自治条例和单行条例、规章应当在公布后的三十日内按照下列规定报有关机关备案:

(一)行政法规报全国人民代表大会常务委员会备案;

(二)省、自治区、直辖市的人民代表大会及其常务委员会制定的地方性法规,报全国人民代表大会常务委员会和国务院备案。较大的市的人民代表大会及其常务委员会制定的地方性法规,由省、自治区的人民代表大会常务委员会报全国人民代表大会常务委员会和国务院备案;

(三)自治州、自治县制定的自治条例和单行条例,由省、自治区、直辖市的人民代表大会常务委员会报全国人民代表大会常务委员会和国务院备案;

(四)部门规章和地方政府规章报国务院备案。地方政府规章应当同时报本级人民代表大会常务委员会备案。较大的市的人民政府制定的规章应当同时报省、自治区的人民代表大会常务委员会和人民政府备案;

(五)根据授权制定的法规应当报授权决定规定的机关备案。

第九十条 国务院、中央军事委员会、最高人民法院、最高人民检察院和各省、自治区、直辖市的人民代表大会常务委员会认为行政法规、地方性法规、自治条例和单行条例同宪法或者法律相抵触时，可以向全国人民代表大会常务委员会书面提出进行审查的要求，由常务委员会工作机构分送有关的专门委员会进行审查、提出意见。

前款规定以外的其他国家机关和社会团体、企业事业组织和公民认为行政法规、地方性法规、自治条例和单行条例同宪法或者法律相抵触时，可以向全国人民代表大会常务委员会书面提出进行审查的建议，由常务委员会工作机构进行研究，必要时，送有关的专门委员会进行审查、提出意见。

第九十一条　全国人民代表大会专门委员会在审查中认为行政法规、地方性法规、自治条例和单行条例同宪法或者法律相抵触时，可以向制定机关提出书面审查意见；也可以由法律委员会与有关的专门委员会召开联合审查会议，要求制定机关到会说明情况，再向制定机关提出书面审查意见。制定机关应当在两个月内研究提出是否修改的意见，并向全国人民代表大会法律委员会和有关的专门委员会反馈。

全国人民代表大会法律委员会和有关的专门委员会审查认为行政法规、地方性法规、自治条例和单行条例同宪法或者法律相抵触而制定机关不予修改的，可以向委员长会议提出书面审查意见和予以撤销的议案，由委员长会议决定是否提请常务委员会会议审议决定。

第九十二条　其他接受备案的机关对报送备案的地方性法规、自治条例和单行条例、规章的审查程序，按照维护法制统一的原则，由接受备案的机关规定。

第六章 附 则

第九十三条 中央军事委员会根据宪法和法律，制定军事法规。

中央军事委员会各总部、军兵种、军区，可以根据法律和中央军事委员会的军事法规、决定、命令，在其权限范围内，制定军事规章。

军事法规、军事规章在武装力量内部实施。

军事法规、军事规章的制定、修改和废止办法，由中央军事委员会依照本法规定的原则规定。

第九十四条 本法自2000年7月1日起施行。

全国人民代表大会常务委员会关于加强中央预算审查监督的决定

（1999年12月25日第九届全国人民代表大会常务委员会第十三次会议通过）

为履行宪法赋予全国人民代表大会及其常务委员会的职责，贯彻依法治国的基本方略，规范预算行为，厉行节约，更好地发挥中央预算在发展国民经济、促进社会进步、改善人民生活和深化改革、扩大开放中的作用，必须加强对中央预算的审查和监督。为此，特作如下决定：

一、加强和改善预算编制工作。要坚持先有预算，后有支出，严格按预算支出的原则，细化预算和提前编制预算。各部门、各单位应当按照预算法的要求编好部门预算和单位预算，有关部门要按时批复预算、拨付资金。积极创造条件做到：中央本级预算的经常性支出按中央一级预算单位编制，中央预算建设性支出、基金支出按类别以及若干重大项目编制，中央财政对地方总的补助性支出按补助类别编制。在每个财政年度开始前将中央预算草案全部编制完毕。

二、加强和改善中央预算的初步审查工作。对中央预算的审查,应当按照真实、合法、效益和具有预测性的原则进行。国务院财政部门应当及时向全国人民代表大会财政经济委员会和全国人民代表大会常务委员会预算工作委员会通报有关中央预算编制的情况,在全国人民代表大会会议举行的一个半月前,将中央预算初步方案提交财政经济委员会,由财政经济委员会对上一年预算执行情况和本年度中央预算草案的主要内容进行初步审查。国务院财政部门应积极创造条件,做到提交审查的材料包括:科目列到类、重要的列到款的预算收支总表和中央政府性基金预算表,中央各预算单位收支表,建设性支出、基金支出的类别表和若干重大的项目表,按类别划分的中央财政返还或补助地方支出表,中央财政对农业、教育、科技、社会保障支出表等,以及有关说明。

三、全国人民代表大会会议期间,财政经济委员会根据各代表团和有关专门委员会的意见对中央及地方预算草案进行审查,并提出审查结果报告。全国人民代表大会关于中央及地方预算的决议,国务院应当贯彻执行。

四、加强对预算超收收入使用的监督。中央预算超收收入可以用于弥补中央财政赤字和其他必要的支出。中央预算执行过程中,需要动用超收收入追加支出时,应当编制超收收入使用方案,由国务院财政部门及时向财政经济委员会和预算工作委员会通报情况,国务院应向全国人民代表大会常务委员会作预计超收收入安排使用情况的报告。

五、严格控制不同预算科目之间的资金调剂,各部门、各单位的预算支出应当按照预算科目执行。中央预算安排的农业、教育、科技、社会保障预算资金的调减,须经全国人民代表大会常务委员会审查和批准,以后根据需要还可以逐步增加新的项目。

六、加强对中央预算调整方案的审查工作。因特殊情况必须调整中央预算时,国务院应当编制中央预算调整方案,并于当年7月至9月之间提交全国人民代表大会常务委员会。国务院财政部门应当及时向财政经济委员会和预算工作委员会通报中央预算调整的情况,在常务委员会举行会议审批中央预算调整方案的一个月前,将中央预算调整方案的初步方案提交财政经济委员会,由财政经济委员会进行初步审查。

七、中央决算草案应当按照全国人民代表大会批准的预算所列科目编制,按预算数、调整或变更数以及实际执行数分别列出,变化较大的要作出说明。中央决算草案应在全国人民代表大会常务委员会举行会议审查和批准的一个月前,提交财政经济委员会,由财政经济委员会结合审计工作报告进行初步审查。

八、加强对中央预算执行的审计。国务院审计部门要按照真实、合法和效益的要求,对中央预算执行情况和部门决算依法进行审计,审计出的问题要限时依法纠正、处理。国务院应当向全国人民代表大会常务委员会提出对中央预算执行和其他财政收支的审计工作报告,必要时,常务委员会可以对审计工作报告作出决议。

九、加强对中央预算执行情况的监督。在全国人民代表大会及其常务委员会领导下,财政经济委员会和预算工作委员会应当做好有关工作。国务院有关部门应及时向财政经济委员会、预算工作委员会提交落实全国人民代表大会关于预算决议的情况，对部门、单位批复的预算，预算收支执行情况，政府债务、社会保障基金等重点资金和预算外资金收支执行情况，有关经济、财政、金融、审计、税务、海关等综合性统计报告、规章制度及有关资料。

十、加强对预算外资金的监督。要采取措施将中央预算外资金纳入中央预算，对暂时不能纳入预算的要编制收支计划和决算。预算外资金的收支情况要向全国人民代表大会常务委员会报告。

十一、要依法执行备案制度。国务院应将全国人民代表大会授权其制定的经济体制改革和对外开放方面有关预算的暂行规定或条例，中央预算与地方预算有关收入和支出项目的划分、地方向中央上解收入、中央对地方返还或者给予补助的具体办法，省、自治区、直辖市政府报送国务院备案的预算的汇总，以及其他应报送的事项，及时报送全国人民代表大会常务委员会备案。

十二、预算工作委员会是全国人民代表大会常务委员会的工作机构，协助财政经济委员会承担全国人民代表大会及其常务委员会审查预决算、审查预算调整方案和监督预算执行方面的具体工作，受常务委员会委员长会议委托，承担有关法律草案的起草工作，协助财政经济委员会承担有关法律草案审议方面的具体工作，以及承办本决定第十一条规定的和常务委员会、委员长会议交办以及财政经济委员会需要协助办理的其他有关财政预算的具体事项。经委员长会议专项同意，预算工作委员会可以要求政府有关部门和单位提供预算情况，并获取相关信息资料及说明。经委员长会议专项批准，可以对各部门、各预算单位、重大建设项目的预算资金使用和专项资金的使用进行调查，政府有关部门和单位应积极协助、配合。

全国人民代表大会常务委员会关于加强经济工作监督的决定

（2000年3月1日第九届全国人民代表大会常务委员会第十四次会议通过）

为了履行宪法赋予全国人民代表大会及其常务委员会的职责，加强经济工作监督，促进国民经济持续、快速、健康发展，依据宪法和有关法律，总结多年来的实践经验，作如下决定：

一、全国人民代表大会常务委员会依法对国务院经济工作行使监督职权。

二、国务院编制的国民经济和社会发展年度计划草案、五年计划草案以及长远规划草案，应当在全国人民代表大会举行的一个月前，报送全国人民代表大会常务委员会。

三、全国人民代表大会会议期间，财政经济委员会根据各代表团和有关专门委员会的审查意见，对计划草案和计划报告进行审查，并提出审查结果报告，经主席团审议通过后，印发代表大会。

四、财政经济委员会对年度计划草案和计划报告的审查重点是:编制的指导方针要符合全国人民代表大会批准的国民经济和社会发展五年计划以及长远规划;主要目标和指标要符合持续、稳定发展国民经济的要求;主要措施要符合加强宏观调控,优化经济结构,安排好国家重点建设,切实改善人民生活,积极促进就业,做好社会保障工作和可持续发展等要求。

五、对涉及面广、影响深远、投资巨大的国家特别重大建设项目,国务院可以向全国人民代表大会或者常务委员会提出议案,由全国人民代表大会或者常务委员会审议并作出决定。

六、在经济运行过程中,全国人民代表大会批准的年度计划、五年计划和长远规划必须作的部分调整,由国务院提请常务委员会审查批准。除特殊情况外,国务院应当在全国人民代表大会常务委员会举行会议一个月前,将调整方案的议案报送全国人民代表大会常务委员会。

国务院应当在8月向全国人民代表大会常务委员会报告上半年计划执行情况。

经济运行发生重大变化时,国务院应当向全国人民代表大会常务委员会报告,作出说明。

全国人民代表大会常务委员会可以根据需要,听取并审议国务院经济工作方面的专题汇报。

全国人民代表大会常务委员会应当对国民经济和社会发展计划的执行情况进行监督,对计划安排的国家重点建设项目,可以根据需要听取国务院的工作汇报,进行监督。

七、同外国或者国际组织缔结、废除有关经济方面的条约和协定,凡依照中华人民共和国缔结条约程序法的规定,必须由全国人民代表大会常务委员会决定批准的,国务院应当向全国人民代表大会常务委员会提出议案，提请审议决定。

八、受委员长会议委托，有关专门委员会可以召开全体会议，听取国务院有关部门的专题汇报。国务院有关部门的专题汇报由国务院统一安排。

财政经济委员会应当在4月、7月和10月的15日前分别召开全体会议，听取国务院有关部门关于一季度、上半年、前三季度国民经济运行情况的汇报，并进行分析研究。

九、全国人民代表大会常务委员会会议审议讨论本决定所列事项时，国务院应当根据要求，及时提供相关的信息资料及说明，并派国务院负责人或者有关部门负责人到会，听取意见，回答询问。

专门委员会全体会议审议讨论本决定所列事项时，国务院有关部门应当根据要求，及时提供相关的信息资料及说明，并派有关负责人到会，听取意见，回答询问。

十、专门委员会在召开全体会议听取国务院有关部门汇报后提出的意见和建议，应当报告委员长会议，由委员长会议审议决定是否批转国务院及其有关部门研究处理，并将结果报告全国人民代表大会常务委员会。

十一、全国人民代表大会常务委员会开展经济工作监督的情况向社会公布，法律另有规定的除外。